Four Essays

Artist in the Community Scheme

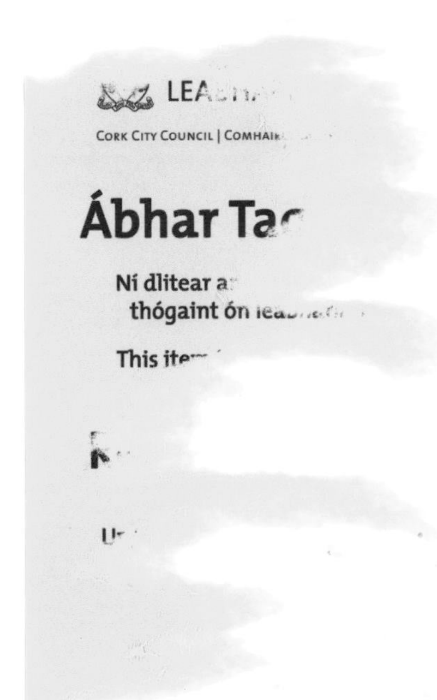

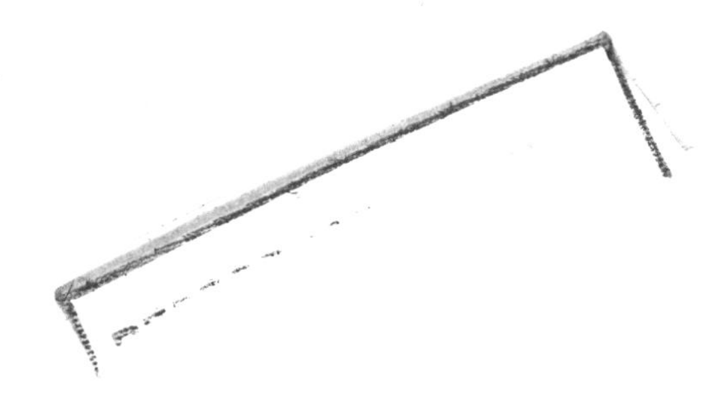

Published by the Arts Council / An Chomhairle Ealaíon and Create.

The Arts Council,
70 Merrion Square,
Dublin 2
Callsave: 1850 392492
Tel: +353 1 6180200
www.artscouncil.ie

Create
10/11 Earl Street South,
Dublin 8
Tel: +353 1 473 6600
www.create-ireland.ie

ISBN: 978-1-869895-08-2

Design: Bennis Design

Preface

Orla Moloney

Head of Arts Participation, Arts Council

The Artist in the Community Scheme brings artists and communities together in a collaborative process of considering and making art. From an Arts Council perspective, this collaboration is important and exciting not only in terms of social inclusion and equity but also in terms of arts practice and artform development. While facilitating the public to extend and enhance their experiences of the arts, it also assists artists in realising their artistic ambitions, two of the key goals outlined in *Partnership for the Arts*, the Arts Council's strategy document (2006 – 2010)

The scheme is open to artists across a wide range of artforms and to a diversity of groups and communities. These may be groups from urban or rural areas; they may be long standing residents or people who are newly arrived; they may be living independently or residing in a hospital or care environment. They may be young, old, gay, straight, Traveller, settled, from a shared ethnic background or a mix of all of the above. Or, they may simply be united by a common interest or pursuit. Regardless of the extent of the participants' knowledge or experience in the arts, the opportunity to collaborate with a skilled artist brings an opportunity to stop and take a second look at what may be called 'normal' in everyday life. In the arts, nothing is 'normal'. Everything can be re-viewed from new angles and in different lights. But the process is not confined to the participants. The artist is also called upon to take a second look at their practice and the artform in which they work. It is a challenging but potentially liberating process for all involved, where assumptions are questioned and everybody has a part to play in the creation of new work.

However, access to such opportunities is not equally shared. Recent reports: *In the Frame, Out of the Picture* (NESF/ ESRI 2008) and *The Arts, Cultural Inclusion and Social Cohesion* (2007) – both of which were informed by *The Public and the Arts* (Arts Council, 2006) – demonstrated that social and economic background strongly influenced individual and community involvement in the arts and that educational attainment was particularly influential in this regard. The research called for greater priority to be given to cultural inclusion in arts policy and provision, a call that resonated with Arts Council priorities, and the decision to significantly increase funding to the Artist in the Community Scheme in recent years.

However, the Arts Council is only one strand in a scheme that is built on the principle of partnership, a principle that is vital in the area of art and social inclusion. Each Artist in the Community project has a mix of artistic and social or health aims and an integrated approach is required in order to ensure that both sets of aims are acknowledged, achieved and evaluated. For its part, the Arts Council is best placed to fund and support the realisation of the artistic objectives, such as ambition, innovation and high quality artistic engagement through the use of participant-centred approaches. Agencies from other sectors bring additional forms of expertise, support and funding to address parallel objectives in areas such as health, personal development or community development.

In this way, the projects funded under the Artist in the Community Scheme tend to be more than the sum of their parts, generating artistic and social outcomes that could not be imagined, let alone realised, by any one partner on its own. In the current economic climate, such partnership approaches will be essential if the sector is to meet the serious challenges that undoubtedly lie ahead. A broad range of stakeholders will need to negotiate an effective place for arts participation at the funding table, not only in the arts sector but also in the areas of social and community provision, youth affairs, local government and health.

This publication is an important opportunity for four different artists to reflect on their varied experiences of working within the parameters of the Artist in the Community Scheme and to consider the range of outcomes for themselves and the groups with whom they worked. Increasing numbers of artists across all artforms are looking to arts participation as a core part of their practice and yet the work still tends to remain well below the radar. It lacks the underpinning of a critical body of work that tracks, challenges and celebrates artistic methodologies and achievements, and which unpacks the complex layers that make up a collaborative project.

As a result, the work often runs the risk of being misunderstood and undervalued in artistic terms. Negative perceptions, whether they arise from the assimilation of uncritical stereotypes, or a narrow conception of artistic merit, or a negative experience of a particular piece of work, run the risk of undermining confidence and limiting artistic risk-taking within the sector. The Artist in the Community Scheme publication is only one small step in addressing the deficit in critical documentation but it is a clear attempt to move beyond description and to pose more searching questions about the nature and quality of the work.

What emerges from the four essays is an account of the creative collisions that took place when the artists and groups got together to share their individual histories, perspectives, interests and abilities, and set about shaping and refining them collectively through an artistic process. Given the importance of partnership, it is striking, if not surprising, to note the emphasis on communications by all four artists. In order to achieve genuine collaboration everything, from the aims and approaches to the materials and techniques, had to be considered and discussed so that differences could be aired and decisions collectively owned. Similarly, the four artists referenced a small number of key elements, which appeared to be essential in facilitating effective and creative progress. These included cross-sector support, clarity of roles, flexibility, an openness to mutual learning and, above all else... time. It would seem that these elements provided a solid foundation for the work, freeing up the artists and participants to stretch themselves artistically and, as the artist Ríonach Ní Néill put it, to '...bring earth and sky together.'

While all four projects ended with a public exhibition or performance it is worth noting that the Artist in the Community Scheme is flexible in this regard. Outcomes can be planned to meet the needs of the individuals and groups involved so that the artistic experience is consistently specific and meaningful. It is this specificity that makes the work innovative and exciting and unleashes the creative element that Francois Matarasso describes as artistic 'magic' – a difficult outcome to pin down and yet one of the elements that emerges clearly from the four essays in this collection.

Re-Imagining Community

Sarah Tuck
Director, Create

Create, the national development agency for collaborative arts, has had the privilege of managing, on behalf of the Arts Council, the Artist in the Community Scheme since 2001. During this time the range of artists working with and in community contexts, both urban and rural has increased considerably throughout Ireland.

The Artist in the Community Scheme asks of artists to locate their practice with communities of interest and/or place, and by doing so, push at the formal boundaries of art form disciplines and deepen the critical questions of who can make art. The scheme through the years has become a key mechanism through which collaborative arts is now understood as a vibrant and dynamic contemporary art practice.

Alongside this, artists have teased out some of the problematic questions of what is a community, by resisting a nostalgic impulse and reconfiguring ideas of place and identity relevant to our times. This collection of essays feature a group of rural farmers, a pigeon club in Ballymun, migrant domestic workers and young people of South Dublin. It is our intention, in partnership with the Arts Council, through this series of essays to provide some insights into how four artists, Declan Gorman, Rhona Byrne, Ríonach Ní Neíll and Susan Gogan conceived of their projects with specific groups. The essays trace, in their own words, the challenges the artists faced and moreover the expertise they had to unlearn to realise a contemporary arts project co-authored with a community.

It is our hope that this publication provides evidence of the importance of the Artist in the Community Scheme to the arts and community sectors, and also reveals the ways in which collaborative arts practice provides a new model of engagement and access to the arts. The Artist in the Community Scheme recognises the vital role the arts play in civil society and a genuinely participative democracy. It also honours the creative capacities of communities to respond to and imaginatively shape the creation of art.

To date the Artist in the Community Scheme has funded nearly 200 artists drawn from across all artforms to work with communities in a diverse range of contexts – and more than 500 groups and communities countrywide have applied to the Scheme to work collaboratively with an artist.

In 2005 a Research and Development strand was introduced, in recognition of the fact that time is a crucial factor in enabling artists to work effectively with a community of place and /or interest. This offers artists the time and space to think through project ideas in consultation with a community to ensure that the work of artists remains fresh and refreshed and that artists and communities are afforded the time to think through concepts and ideas that embrace risk. The Research and Development strand also enables artists to provocatively reconsider what is a community, investigating the numerous ways in which people assemble around common interests, whether it's a group of post punk pogoists, free runners, market traders or a Tidy Towns group.

The Artist in the Community Scheme celebrates the lived experience of a community and in so doing moves beyond the traditional notions of audience and artist. We hope this publication illustrates the radical potential of collaborative arts practice to rephrase a community's understanding of contemporary arts. On a more modest note, we also hope this book in some way contributes to the growing body of work documenting collaborative arts as one of the most influential shifts in art production in recent times.

Susan Gogan

Opening Doors

Opening Doors was a collaborative photographic project with photographer Susan Gogan and members of Migrant Rights Centre Ireland's Domestic Workers Support Group. An exhibition of the work took place at the Gallery of Photography, Dublin, 9th March – 5th April, 2007

I was approached by Edel McGinley of Migrant Rights Centre Ireland because a group of migrant domestic workers decided they would like to collaborate with an artist in a project engaging with photography as an art practice. Based in Dublin, the Domestic Workers Support Group consists of a core group of approximately thirty women predominantly from the Philippines, but also from India, Pakistan, Georgia and Trinidad and Tobago. The group was established in 2004 to address the barriers for them in accessing social and economic rights. Most of them had very little experience of the professional arts. However at the time we began the photography project, they had just completed a quilt highlighting the problematic areas of domestic work.

Edel was aware of my artistic practice to date and my interest in issues relating to the changing demographic of Irish society. My work involves the creation of large staged photographs examining the power structures and strategies of inclusion and exclusion that are contained within the places where we live. When approached by Migrants Rights Centre Ireland, I immediately recognised the potential of the collaborative process to push my work in a new direction. The project also presented an opportunity for the Domestic Workers Support Group to take control of the domestic space and create their own symbolic references within the work we would produce together. Through their active participation in cultural production, photographic representation could be placed in the hands of the women themselves.

Photo credit: Members of Migrant Rights Centre Ireland's Domestic Workers Support Group.

During initial meetings with Edel, we agreed that the staged format and staging process offered a unique way to truly collaborate where the women could publicly address complex issues of particular concern such as lack of privacy, isolation, social control, racism, manipulation and unclear boundaries in relation to working hours. At the same time I could stay true to, and further develop, my own working methods and artistic practice. Originally, the staging of the images was to be combined with a documentary portrait aesthetic where the subjects of the photographs (the women themselves) would look directly into the camera and so be directly engaged in a relationship with the viewer. However during the course of the collaborative process the emphasis in the work changed, making this documentary portrait aesthetic unsuitable.

One of the key aims of the Domestic Workers Support Group is training and skills development so this also became an important factor in the way the project was structured. The Domestic Workers Support Group was already meeting one Sunday of every month at The Teacher's Club in Parnell Square (supported by the Equality for Women Measure). We began the photography sessions by viewing a photography project documenting the lives of female migrant workers in Singapore, which sparked a lot of interest and animated discussion. The women in the group related strongly to these images, so they could readily see the connection between the issues, emotions and experiences conveyed and the composition and lighting that had been utilised by the photographer.

Technical sessions followed, teaching the group about the use of light and composition. They then began a self-directed black and white documentary project. Their brief was to document their leisure time, an important part of their lives that they felt was little valued by their employers. What emerged illustrated a real diversity of migrant experiences. They covered everything from personal images of friendships to private moments of contemplation; shots of Dublin's city streets to loving images of family in Ireland and abroad. These projects were edited during critique groups with four or five women at a time. Meeting the women in small groups, I really began to appreciate the opportunity to form new friendships within cultures that were previously at a distance from my own everyday experience.

Photo credit: Members of Migrant Rights Centre Ireland's Domestic Workers Support Group.

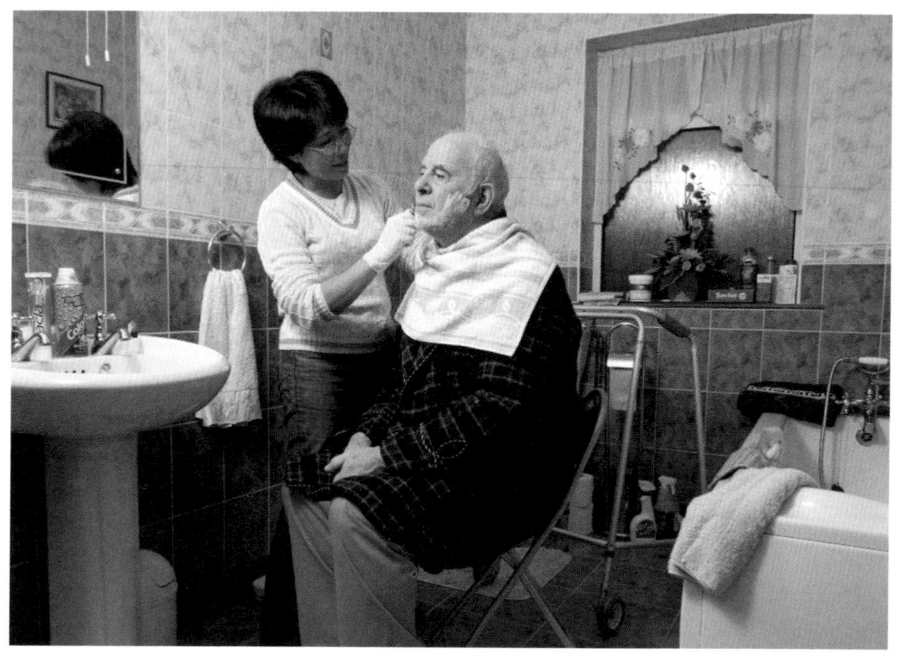

Untitled (Amelita and Mick) from Opening Doors (2006)
Lambda chromogenic print, mounted on Dibond, 110 cm x 163 cm

We began the staged works after the editing process and two gallery visits. In the early stages of the project it was decided that the staged images were to address various issues with a focus on the spatial tensions experienced by the women in their everyday lives. At the same time it was decided that it was also important to express the position of strength they hold in their employment, the importance of their work and the respect that their position in the household deserves. My aim as an artist was to facilitate. When it came time to begin the staged works the group felt that they had focused for long enough on the negative aspects of their working lives through the quilt, and now felt it was important to foreground the value of the work they do and the huge range of skills necessary to meet its demands. A list of these skills and tasks was drawn up and they became the focus of the staged photographs. Another priority for the women was the overwhelming need to convey the loyalty and affection that was central to their relationships with the children and the older people in their care.

It was decided to produce six large photographic works and the members of the Domestic Workers Support Group were divided into small groups, each responsible for one image. The initial locations were sought out by Edel and myself. Various rooms in each location were photographed and the images enlarged to approximately A2 size so that each of the six groups of women could choose a room to work with and decide on the issues they wished to address suitable to the location. The women were then to make a collage to aid in the conceptual development and visualisation of their particular image. Each group was also presented with a suggested list of roles necessary for the planning and execution of a staged work. These included selecting a model (a member of the group who would appear in the final photograph), and making decisions around props, clothing and hair, lighting and documentation. The group was also informed there would be a professional make-up artist present for the model to ensure that she felt confident that she would be portrayed at her best.

The scale and complexity of this project presented many challenges when it came to the organisation of the photo shoots. Despite organisational challenges, the photo shoots were really where the energy of the project came together and were an extremely rewarding experience for all of us. As we had all been working together for approximately eight months at that point, there was an intense focusing of ideas and a huge amount of fun. Each day began with a group discussion using the relevant collage as a starting point to refine ideas and make final decisions about props, hair and clothing. More importantly the discussions were about how to demonstrate their own responsibility and dedication to their work and define how the relationship between the woman and child or older person was to be conveyed through posture, body language, facial expression and overall composition of the image. Given that the aim was to convey close relationships between the carer and those cared for, it was during these group discussions that it became fully apparent that the idea of the documentary portrait aesthetic was now unsuitable to the concept.

The groups were taken through the stages of a professional lighting set-up and were consulted on lighting decisions through the use of Polaroids. The group as a whole then dressed the set with props, becoming intensely engaged with the creative process and paying an enormous amount of attention to detail. Through this attention to detail it became apparent to me just how dedicated the women are to maintaining professionalism in their own working practices, and their acute awareness of how important these images are in controlling how they are perceived out in the world.

Afterwards I narrowed down four or five rolls of film per shoot to a small selection of prints to present to each group so that the final images for exhibition could be chosen. We were all in agreement about which were the six strongest images after discussions about how each image met its criteria for success. The images were selected on the basis of the relationship conveyed, overall composition, key props being visible, key tasks and skills being represented and overall authenticity of the scene in terms of their own working practice. The black and white images were also revisited at this stage with the whole group having a say in which images they thought should enter into the final exhibition. Model releases were then signed by everyone who had been asked permission to appear in the photographs (parents signed on behalf of their children) to allow their exhibition and publication.

The final exhibition of the work was held at The Gallery of Photography. The opening event on International Women's Day 2007 was vitally important to promote a sense of achievement, confidence and pride in the work. The gallery opening was an unforgettable evening for all of us, topped off by a feature on RTÉ's Nine O'Clock News the same evening. African-American cultural theorist bell hooks emphasises the importance of cultural production that centralises the interests and experiences of marginalised groups. It is her belief that the enjoyment derived from moving out of one's designated "place" in society while watching or reading such works is in itself a defiant political gesture that resists the dominant powers in society. The Domestic Workers Support Group have taken hooks' ideas a giant step further. In the words of Elsa Fontanoz, one of the women who spoke publicly at the opening that night, "...now we can finally be seen."

Migrant Rights Centre Ireland's Domestic Workers Support Group

Migrant Rights Centre Ireland (MRCI) is a national organisation working with and for migrant workers and their families. The mission of MRCI is to promote the conditions for social and economic inclusion and equality of migrant workers who are in situations of vulnerability. In response to the growing reports of difficulties experienced by migrant domestic workers, MRCI established the Domestic Workers Support Group (DWSG).

The DWSG is made up of migrant women employed in the private home as carers and childminders. Participants come together in a supportive, safe and empowering environment, where they can share, analyse and reflect upon their experiences in order to bring about change. To have a voice and be active agents in decision-making on the issues affecting their lives is paramount to the success of the group. The DWSG are currently calling for the establishment of statutory protections that reflect the reality of their working lives.

Ríonach Ní Néill

Between Earth, Sky & Home

An account of the collaboration between dance artist Ríonach Ní Néill, Ronanstown Youth Services, North Clondalkin, and professional dancers from Ciotóg 2007/8

Between Earth, Sky and Home was a one-hour dance work directed and choreographed by me, Ríonach Ní Néill, in collaboration with 15 young people from Ronanstown Youth Services (RYS), North Clondalkin, and four professional dancers from Ciotóg dance company. The project was initiated by Fiona Delaney, South Dublin County Arts Development Officer (Music & Dance) for North Clondalkin, who, conceived of a collaboration between young local people and a contemporary dance artist as part of her brief to develop new work specific to the area. The aim was to explore the North Clondalkin landscape. Through a series of development meetings, she got a number of people interested in the project – Marie Carey, Youth Arts Development Officer with Ronanstown and Clondalkin Youth Service, Maria McCormack, dance tutor in the RYS Kreate performing arts club and Elisabetta Bisaro, Development Officer for Dance Ireland, the national resource organisation for professional dance, who invited me as potential dance artist.

As a consequence of receiving a Phase One Research and Development award from the Artist in the Community Scheme we were able to host two dance workshops with participants in the RYS Kreate performing arts club which attracted 20 interested people from age eight to fifteen and their parents. We also met with parents to discuss issues including the artistic aims, cost, and time commitment. The format of the project and timeframe was agreed. The roles of the partner organisations were also established. We applied for Phase Two of the Arts Council – Artist in the Community Scheme. As well, we sourced hybrid funding from SDCC Arts Office and some support-in-kind from Dance Ireland and RYS, and we were off.

Photo credit: Between Earth Sky and Home, Ríonach Ní Néill. Video Still – Joe Lee.

Initially, I did have reservations. I was aware that contemporary dance and the choreographic process were unknown to the young participants, their parents and some of the partners. I was afraid that, before they could experience the rewards, the hard work, concentration and commitment needed might prove too much for the participants. And of course, just as with every new piece, there were a number of nagging questions: Would it work? Would it say something? Would it be worth it?

Looking back, key factors to the project's success were in place practically from the start. First off, we were lucky enough to have a group of dedicated individuals behind the project, supported by their organisations. Their diverse interests intersected in a positive way. They were committed to representing the best interests of those they were responsible for. They were willing to negotiate. There was a strong network of communication between the different partners, which ensured that everyone's needs could be expressed and listened to.

Defining partners' roles was a vital, ongoing, negotiation. As the Artist in the Community, my primary role was choreographer and director of the performance project but I also had many other roles. Fiona Delaney also had multiple roles. As animator and creative partner, she initiated and co-developed the artistic theme. She introduced visual art and landscape architecture tools to the participants and provided research information on North Clondalkin. She used drawings, sketches and photographs of the young dancers to help create a visual art resource in the form of and their local environments, as 'commissioned' by them. These appeared as foyer exhibitions complementary to the performances. In addition she facilitated the collaboration between the partner organisations, promoted secondary collaborations, fund-raised, and fulfilled production and promotion roles.

It was also important to ensure effective liaison between groups. Marie Carey, Youth Arts Development Officer, Ronanstown Youth Service, was the main contact between the young people, their parents and the other participants. Maria McCormack, dance tutor RYS Kreate participated both as performer and support tutor. This meant that the project would complement the on-going RYS Kreate dance programme and it had the benefit of ensuring a longer-term impact of the project and a continuum within the young peoples' dance practice. Marie would be able to utilise the new dance and choreographic techniques in her work with the club after the project ended. Elisabetta Bisaro, as a dance support specialist, brought on board the dance artists, negotiated a balance between the needs of the host community group and the professional dance artist. She also provided support and assistance to the creative partners.

Together fourteen dancers from Ronanstown Youth Service Kreate, and the four professional dance artists engaged in the research, creation and interpretation of the work. The professionals had to act as role models, disciplinarians, teachers and mentors because of the unique situation. They were supporting and collaborating with uninitiated young artists. They also had to ensure physical safety during rehearsals and performance. For all four professional dancers, this process also included learning to renegotiate their well known physical language and terrain, which was made unfamiliar by the young peoples' testing of it.

The key aim was to create a professional standard work within a specific context. It was important that the partners agreed that my role of Artist in the Community was creative artist rather than educator. I wanted the young people to see themselves, and to be seen, as fellow artists. Recognising their relative inexperience, the professional dancers and myself would share our skills and experience with the younger artists to facilitate their artistic expression, but always with the focus towards our creative goal together, as a company. I aimed to locate the project in the context of a professional dance work integrating non-trained artists. I was inspired and influenced by different models such as John Scott's Irish Modern Dance Theatre work with asylum seekers and Liz Lerman's Dance Exchange work with non- professional dancers. Ken Loach's use of first-time actors in his films was also an inspiration.

My work as a choreographer is inspired by an engagement with human and social issues. Most recently I have been considering key questions: *Where does dance come from?' 'Who can dance?' About what? For whom? Whose dance may be seen?* The project contained a number of elements which would provide an interesting challenge to the development of my artistic practice. In particular I was excited about the possibility of integrating professional and non-vocational dancers in my work and of reconciling my dance and urban geography backgrounds. Integrating vocational and non-vocational artists in my work for the first time also offered an opportunity to gain a new performance and choreographic palette. By situating my professional dance practice within a social context, I would also gain a greater diversity of experiences and knowledge to strengthen my professional development.

The performance element took place in two stages between October 2007 and April 2008. Preliminary workshops were held monthly from October to December. The RYS team familiarised themselves by attending a company performance of my work. This was also a way of introducing them to a theatre environment. From January full cast rehearsals took place once weekly in Clondalkin. The young dancers were split into two age groups. There were three days a week rehearsals for the professional dancers. We had two one-week intensives at the spring half-term and Easter break, ending with the three public performances at the Civic and Axis Theatres in April 2008.

The details of their daily lives became the focus of the work, inspired in part by the statement by French philosopher Gaston Bachelard. "Even a minor event in the life of a child is an event in that child's world and therefore a world event". The concept driving the project was to find a non-linear insight into the relationship between young people and their local/home urban environment. Thus they were guided into reflecting on their environment and translating these reflections into a stand-alone art work. We introduced the participants to tools from various areas – visual arts, environmental psychology, landscape architecture and dance to help draw out subjective and emotional relationships with the locale, and provide outlets for expressing aspirations. Our aim was to see that which had become unseen in its familiarity, and to bypass pre-conceptions and stereotypes of Clondalkin already becoming entrenched in the minds of its young residents.

Various exercises were used to help them draw mental and physical maps of their locale, tracing their daily journeys and hangouts. They redrew local landscapes as they would prefer to see them. The results differed greatly, ranging from giant bunnies bouncing around the electricity pylons to envisaging branches of Penneys and McDonalds opening in Neilstown shopping centre. They also explored other guided visualisations, sketching and verbalising dreamscapes, and making aural compositions of local soundscapes. They composed their own personal versions of the childhood rhyme of what boys and girls are made of and they also played 'alien place charades' in which visual elements of the local landscape were described as if seen for the first time. They also 'commissioned' Fiona to draw their homes, streets and schools. The range of rich visual and textual material stimulated the physical improvisation and compositions. The emotions that were revealed coloured the choreography. Fundamental questions were revealed in the themes of the performance. These included: how young people identified themselves, who with, and how they connected, or didn't, with their local environment.

There were a wide variety of consequences from the work. Through the physical dimension, the young dancers became more aware of ways they could re-imagine, and articulate, their different scales of living. They became aware of everything from the most intimate and individual living space – the body and its sensory surroundings – to the more abstract living space of 'Clondalkin'. This allowed them to consider the concept of the place and its inhabitants, what Clondalkin meant to them and what their relationship with it is. Additionally, intergenerational relationships developed out of the dancing and friendship that occurred between the younger and adult dancers as they shared their skills in street dance, Irish dance, gymnastics and majorettes. The performance became a kaleidoscope, an impressionistic account of these varied explorations. Although its potential scope had to be somewhat reined in, the completed project fulfilled the stated aims. One additional collaboration took place when SDCC Arts Office's commissioned artist Joe Lee to produce a performance film and short documentary about the project. This has ensured both a way of evidencing the work and a legacy for the work.

Concerns were expressed at one point that the project was too difficult and demanded too much commitment and hard work from the young people. Dance artists develop higher than normal self-discipline from a young age due to the huge demands of the dance profession and vocational dedication. In the project, the young artists were in an environment that nurtured and exhorted them to participate to the best of their abilities. The successful outcome, their joy and satisfaction – and that of their parents' – was more than ample evidence of them rising to the challenge.

Ronanstown Youth Service

Ronanstown Youth Service aims to support the development of a broad based service to all young people in the North Clondalkin area; by offering support advice and assistance with issues, and by helping youth groups to assist the young people in a wide range of activities and opportunities, including mainstream youth groups of special interest such as outdoor pursuits, the arts, sports, drama. Ronanstown Youth Service provide direct services for marginalised young people including drug users, young homeless, Travellers, teenage parents, early school leavers and young offenders and promotes the development of voluntary youth groups and volunteers, and the development and management of resources for young people in the North Clondalkin area.

Rhona Byrne

Home

Home was a collaboration between artist Rhona Byrne and members of Ballymun homing/ racing pigeon club, Ballymun 2004

Home is a project that I undertook in collaboration with a number of residents of Ballymun and the Ballymun homing/ racing pigeon club in 2002 to 2004. In early 2002, I was just returning to my art practice having worked for a number of years as an architectural technician and designer. During my time working in the construction industry I became increasingly interested in the distance between the potential of a planning process and the reality of what was eventually realised, and in particular what impact this process had upon the people who inhabited places undergoing change. *Home* was the first manifestation of my sustained exploration into how people experience the built environment and the layers of meaning that places enshrine. I was also interested in the importance from a psychological perspective to have interactions with nature when living in urban situations.

In 2002 Ballymun was four years into its hugely ambitious regeneration programme that would involve the development of a new town for this area of Dublin. At the same time the Per Cent for Art programme known as Breaking Ground, was inviting open submissions from artists to make work in and about Ballymun. This seemed the perfect situation for me to explore some of the themes above.

I set about designing a project that had a number of aims and objectives. Firstly, it was to be a genuinely collaborative and participatory art project with the residents of Ballymun. Secondly, it was to enable a dialogue that would highlight some of the individual concerns of the inhabitants of Ballymun during this transitional period. Finally, through a creative process, it was to involve collaboration with the members of the Ballymun pigeon club, a successful community organisation, which had been breeding and racing homing pigeons since 1974.

Photo credit: Rhona Byrne, Home

It is difficult within the scope of a short essay to relate all of the personal and professional details of working on *Home*, and all their intersections, but basically it describes how the project evolved and was manifested. Through a period of research I found that it was common practice for residents to keep pigeon lofts on the balconies of the flats and that Ballymun had its own pigeon club which had been situated on the ground floor of the Shangan block of flats since the early 1970s. I made contact with Tommy Nelson the secretary of this club. It became apparent that the club was concerned about being allocated a new club house within the regeneration scheme. For me, it became an important motivation to develop a creative process that would make the club more visible and communicate the concerns of its members, while strengthening its existing link with the local community.

Over the following eighteen months I entered into a process of dialogue with some of the residents of Ballymun and the members of the pigeon club to try and explore how people felt about the regeneration of this area. I started visiting the pigeon club on Friday nights when the club met and this process continued for a couple of months where my Friday nights were spent hanging out at the pigeon club, getting to know the club members and studying the world of pigeon racing. My intention wasn't to impose an idea for a project. For me this process was both research and exploration of how the project might happen and a way to develop relationships to see if this could possibly work. I wanted this to be a collaborative journey. I used photography throughout my explorations to visually record this engagement. I set about visiting some of the club members at home on an individual basis. I felt this was a useful opportunity to explain why I was interested in this project as an artist and also develop a common goal and understanding that I hoped held more meaning. It was also interesting to see the DIY construction of their pigeon lofts and hear about the personal commitment to this complex sport.

My funding submission to Breaking Ground was unsuccessful. Looking back now, that is not surprising. I had proposed a naively ambitious and very costly project that was going to be a TV documentary, a massive televised event, travelling exhibition and mass produced book. I decided that I would carry on with the project anyway and through the project's many manoeuvres and manifestations, it became a huge learning curve, that continually informs my art projects. While retaining the fundamental conceptual structure, I was forced into being much more versatile in terms of the project outcomes and sourcing funding. Crucially the timeframe for the project became much more protracted, enabling a more comprehensive and thorough dialogue around the project.

The pigeon racing season is between April and September so after September our weekly meetings took a break. This space afforded me the opportunity to question my role in this process, to ask myself: *'Why was I doing this? Was I trying to be a social mediator? How was this social research relevant to my art practice? Did the club really want me to be there?'* Looking back on this project I really value the time it took to let this project breathe and grow. I now know that to have a time plan outlined for a project is crucial and that a lot of time needs to be allocated for communication. Collaborative ways of working rely on trust and this trust requires time to build.

The common goal of the project was to create an event, where written wishes from the local residents would be attached to the legs of homing pigeons and released from the balconies of the flats. The event would introduce the club and its activities to a wider audience and encourage some younger members to join, highlighting their need for a new clubhouse.

The pigeon season started again. By now it was April 2003. If the project event was going to happen it had to coincide with this season or we would have to wait another year. I prepared information packs to distribute to the residents, which included background information on the project including a small envelope with pieces of paper to write wishes on and a number of questions designed to evoke open, individual responses to this time of change.

Three teenage girls from the Shangan flats and I knocked on peoples' doors, telling people about the project and leaving with them the information packs that would later be collected. Within the larger regeneration project we were offering a small gesture or space for individual expression. People were very receptive to the project and very generous with their time.

By now we had many participants in the project. To bring the project to the next stage we sourced funding from a number of sources outside of the usual arts funding structures. We advertised the project by sending out press releases to local press and put posters up in local shops. On the morning of the pigeon liberation, the pigeon club filled with local kids curious to see how their wishes would be attached to the pigeons' feet. As we attached the wishes we read them out loud, wishes such as *'I wish for a community where people could get along for the sake of the children as they grow up. And for all the drug dealing to stop'*. The pigeons were carefully packed into their baskets and carried into position onto the balconies of each of the seven storey blocks of flats. A large group of people gathered on the green below shouting: 'Let them fly high!' All of the pigeons were released at the same time. They circled above us in the sky, before flying back to their homes within a five mile radius of the club.

By recording and liberating these wishes I wanted to facilitate the communication of the feelings of a community undergoing a period of geographical and emotional upheaval, bringing together individuals to create a collective response. The visual aesthetic of the flock of birds quietly navigating the sky above, carrying the wishes of those below, was really very moving. From my perspective, this experience offered some repose and collective hope for the future.

The event was documented by video by six kind friends. This film was later shown at an exhibition at the Axis Arts Centre, Ballymun, along with photographs and an award winning publication, all documenting the project and its process. The exhibition aimed to present, articulate and reflect on the process of our collaboration. The opening night was a successful collective framework that brought our collaboration to a natural conclusion. The pigeon club held a young pigeon auction at the Axis Arts Centre, where the pigeon fancying community from the wider Dublin area came to buy young pigeons for breeding. This intersection of people and interests meant that the project was presented as a collaborative project, presenting both our interests equally. The video of *Home* was screened in a pigeon loft in the gallery and the loft was auctioned later that night. The club raised €3000 at the event, which was, by coincidence, the same amount that we had received from the Arts Council's Artist in the Community Scheme to give our project 'wings'.

Needless to say, the experience of working through this project has had a considerable impact on my art practice to date. This was the first project that I undertook in a community context and it opened up a whole new practice as an artist and a new way of working for me within the public domain. The tangible outcomes of this project are the awards won for the publication *Home* including a gold ICAD (Irish Creative Advertising and Design) award in 2004. It represented Ireland in the Art Directors Club Europe ACDE awards 2004 and also won the 'Irish print award' printed by Wood Print Craft 2004. And then there is a pigeon named Rhona that won a pigeon race from Ireland to France in 2004.

Footnote

1. The project was kindly supported by Dublin City Council community projects award, a number of Ballymun based businesses, Musgrave retail services, Lisney property and Sika Ireland. The project was also generously supported in kind by many including Dermott Byrne of Speedi Snaps, who printed my photographs throughout the project. The design of the publication was generously supported by Atelier David Smith and Oran Day. This document was integral in terms of creating a legacy for this project.

The Ballymun Homing Pigeon Club

Ballymun Pigeon Club has been in existence since 1974. Its existing premises is B56, B57 Shangan Road, Ballymun. There are 32 members in the club. The Pigeon Club is accredited the first eight in the Irish South Road Pigeon Federation (ISRPF). Ballymun Pigeon Club regularly organise social and fundraising events with annual pigeon shows and auctions. The secretary of the Club is Tommy Nelson.

Declan Gorman

Zoo Station

An account of the collaboration between playwright Declan Gorman and members of Macra na Feirme, Termonfeckin, County Louth, 2001

Macra na Feirme is a long established national organisation which provides social and recreational opportunities for young adults all over rural Ireland. The Termonfeckin branch caters for people from a wide catchment area in South County Louth. The local club had already built considerable experience and profile through four decades of involvement in public speaking, debating and one-act drama competitions.

In other words, the community group in this particular collaboration was highly motivated and well-organised. This allowed for a level of mutual artistic experimentation and delegation far beyond what might have been possible with an inexperienced or socially disadvantaged group. This is not to say that there were not hidden challenges to overcome. Nor am I suggesting that other groups can not reach the level achieved by Termonfeckin given time and training. I am simply acknowledging that the Termonfeckin Macra 2001 collaboration and the resulting play, *Zoo Station*, represent one of the pinnacles of my own achievements as a community artist – not because of some freak of luck or gift of mine, but because the group was ready for the challenge.

By 2001, Termonfeckin Macra were already two years into a collaborative partnership with Upstate Theatre Project, a specialist performing arts organisation in nearby Drogheda. I had also worked with some of the participants on an earlier project.

So, this essay chronicles an advanced level model. No matter what overt advantages they bring, no artist and no group of individuals, arrives into or begins a participative project ready-to-cook. Therefore it is best to consider *Zoo Station* in the context of the full five year relationship between Termonfeckin and Upstate Theatre Project.

The first day that I went along with my colleague Declan Mallon to run a once-off workshop in the local rural hall, one tall, shy young man sat at the back and initially declined, very politely, to join in. He would subsequently go on to become national president of the organisation. While their experience of presenting off-the-shelf dramas on the One-Act competitive circuit was a badge of pride for the group, it was not an ideal preparation for the new challenges of improvisation and devising. But this was 'a good group' and the space afforded by their openness and readiness to work at an advanced level, allowed me to push out and consolidate my own emerging methods in practice which I now apply with all kinds of groups at all kinds of levels.

Upstate Theatre Project began its relationship with Termonfeckin Macra in 1999. There is no doubt that access to a dedicated arts resource is helpful for a community group wishing to develop arts capacities, be it a local arts centre, a college faculty or the outreach facility of a production organisation. In the case of Upstate, the company was dedicated to action research in the field of community-engaged theatre, so the partnership was of great mutual value. From the outset, there were always two professionals in the room. My colleague Declan Mallon played the flexible role of facilitator, in this case not only liaising with the participants on matters extraneous to the art but, critically, leading games, warm-ups and improvisation exercises. He also shared responsibility with me on broad narrative development as the process began to funnel towards a production. To have such a poly-talented partner in the room was a rare luxury in this area of work. My role became to lead more focussed improvisations, storytelling exercises and creative writing work that were directed, more and more as the months proceeded, towards an eventual play. In the course of time, I morphed almost seamlessly from writer-in-residence into the production director.

In our first season with the group, we set an initial target of just six weekly sessions of exploration. These would involve getting to know one another: testing the members' responses to the artform, the methodologies, and the challenges of playing silly games among their own neighbours and so on. We applied the simple rule that theatre is all about playing the fool, and that it is the one who hangs back and declines to dip his toe into the silly-pool who stands out as odd. This worked very well until one Sunday afternoon when we became aware that two impassive, middle-aged farmers were gazing in the window as the participants pranced about, led by imaginary helium balloons. We closed the curtains and recovered ourselves.

At the end of our six weeks, the participants put together a fifteen-minute improvised drama in the hall – but without an audience, to camera only. It was a family drama set in 1957, the year when Louth famously won the All-Ireland football championship. In the evaluation that followed this short, intense 'pilot' season, there was unanimous agreement that the methods were good, the project worth pursuing but that the themes and content should be more contemporary. We then worked over several months in 1999, and created a full-length drama about a modern Wedding-From-Hell, entitled *Tunnel of Love*. Then, in 2000, the group sought and were awarded an Artist in the Community Scheme grant to re-engage me on a more advanced project, with roughly the same group of participants.

All through the *Tunnel of Love* and *Zoo Station* projects, the same basic principles that had been tested in the first six weeks held fast:

- physical exercise as a precursor to every session, including those exclusively given over to cerebral or written work;
- collective improvisation and occasional group discussion as the starting point for all ideas;
- inclusiveness and generosity whereby the less confident grew comfortable and adept at contributing ideas.

I was driven partly by the challenge of finally defining and claiming an aesthetic for an approach to drama which, prior to 2000, had been acclaimed (by some anyway) for its social, educational and civic values, but never yet in the matter of form, idiom, staging, structure and so on. All too often, community plays were lazily written off by critics and indeed disinterested arts funders as little more than exercises in socio-economic therapy. Artistically, it was claimed, the very fact of having multiple authors; the fact of 'needing to offer equal parts' to participants regardless of ability or without reference to the perceived 'rules' of dramatic structure, inevitably militated against community drama ever achieving some mythic standard called "Good Art".

My influences as an artist included Gerhart Hauptmann whose towering masterpiece of Naturalism, *The Weavers*, I had recently directed for Upstate Live. A definitive academic critique of this nineteenth century playwright has a chapter entitled "The Community as Hero". And, while they had slipped out of fashion, what about the Expressionists and Bertolt Brecht and Joan Littlewood and Ewan McColl and Peter Weiss with their various versions of loud, collective, sensuous theatre spectacles? How about combining these imported influences with the rich, native storytelling tradition of the rural Irish fireside, but jazzed up with of-the-moment themes, fun visuals and – as the titles of the plays reveal – popular soundtracks.

Week-by-week, we explored themes from the time and place we now inhabit: the small traditional town near Dublin as new dormitory satellite; the lunatic world of work and commuting; the unwanted pregnancy in a time of easy contraception; the issue of infidelity (an odd favourite with that group of apparently upright young people!) and so on. Somebody gave me a CD by Bentley Rhythm Ace. The frenetic fun-beat of that CD became our process soundtrack for dance and movement improvisations. We became a crowded train; a station full of frantic, running people; a human zoo where somebody had unlocked the cages. One day I blew a whistle. The imaginary train stopped suddenly in mid-Meath to see what would happen and the spontaneous response of the actors was to reach instantly for mobile phones. "Sorry love, I'll be home late"; "Come and collect me, Ma!" and so on. We built images and atmospheres.

At the same time, we discussed human narratives in small and large group exercises. And gradually we threaded together a cohesive, episodic play with – yes – elements of soap opera, but airlifted away above this by the magic of visual theatre – the big train and station set pieces and so on; and then transformed it further with an existential ending whereby the station master passed away on his final working day, only to be visited in a moving tableau by what looked like a procession of hundreds of saddened commuters taking time out to condole and grieve.

The play was performed in the Droichead Arts Centre, just a few miles from Termonfeckin village. We raised additional funds and engaged the up-and-coming (and now famous) set designer Paul O'Mahony to construct a towering set of railway station columns. We sold out for three nights and in the words of John Leech, the most experienced group member: "We touched a few chords. The whole community was talking about it".

Declan Mallon conducted a thorough evaluation and I proceeded the following year to do one final, more modest project with the group, before we all eventually said our goodbyes. *Zoo Station* was revived and became the first ever Community Theatre piece to feature on the Dublin Fringe Festival, gaining a warm, four-star review in the *Irish Times*. Declan Mallon and I jointly authored and edited a book entitled *Way Out in the Country* documenting the Macra experience, which reflects on the aesthetics of community drama and includes the script of *Zoo Station* along with two other collectively written Macra plays from that period.

Zoo Station remains one of the highlights of my own career. I subsequently developed a Masterclass module in Collective Writing and Devising for Community Theatre, which I teach to international graduate students of New York University, based largely on what I and the Macra people learned together that year. In 2009, Upstate Theatre Project hopes to adapt this masterclass as an open, modular training programme for Irish artists and community activists.

All of this from one Artist in the Community grant! The only shame is that the overall funding for the Scheme remains so tight and the grants so few. A participant in a recent project said to me, "Imagine if every townland or parish in Ireland could have a project like this, telling their own story". Imagine indeed!

A five-minute extract from the 2003 Upstate Theatre desktop-documentary film, *Shadows on our Doors*, documenting the Termonfeckin Macra experience can be viewed on www.upstate.ie.

Macra na Feirme

Macra na Feirme is a voluntary organisation for young people between the ages of 17 and 35. The organisation consists of a nationwide network of clubs with six key areas of activity: agriculture, sports, travel, public speaking, community involvement and performing arts. Macra na Feirme is committed to the personal development of members and puts emphasis on social interaction and participation.

The local Macra na Feirme branch in Termonfeckin was founded in 1948 and is one of the oldest Macra clubs in the country. The club prides itself on its sense of belonging to the community and on the full and active programme which it provides to encourage the development of its members and to remain attractive to new generations coming through. Termonfeckin Macra enjoys a formidable reputation within the national network of Macra clubs, in particular for its competitive success in Public Speaking and Drama. Travel opportunities have allowed members to travel to Russia, Germany, Switzerland, Austria, Japan and North America among other places. The club enjoyed a fruitful collaboration with Upstate Theatre Project from 1999 to 2004 which led to the production of three significant plays and a published anthology of scripts and essays.

Artist Biographies

Rhona Byrne

Rhona Byrne is a visual artist who works in installation, sculpture, mixed media, and photography. Rhona graduated from the National College of Art and Design with an honours BFA in Sculpture in 1994. She lives and works in Dublin, Ireland. In her practice Rhona makes objects, site-specific, gallery and context-based installations, films, publications and collaborative event-based projects that focus on the interplay between people and their surrounding environment at both macro and micro levels. Rhona has participated in residencies and has exhibited extensively in Ireland, Austria, UK, Serbia, Germany, Poland and China. Her work has been commissioned by Dublin City Council, OPW and Cork City Council and supported by the Arts Council of Ireland.

Susan Gogan

Susan Gogan is an artist working primarily with photography and is currently expanding her practice to include moving image. Her work is driven by a desire to understand our everyday spatial practice and to represent a 'third' way to think about space, exploring and developing new concepts around 'real' and 'imagined' space. Cinema has a significant influence on her work which to date has centred around the production of a series of large-scale photographic pieces, culminating in the collaborative works of *Opening Doors*. She is now producing a new body of moving image work.

Susan's formal education in photography began in 1995 at City College, San Francisco. She then studied at the Institute of Art, Design and Technology, Dun Laoghaire and following this received her BA from Dublin Institute of Technology in 2002. Susan has exhibited in the US, Australia and widely across Ireland. She lives and works in Dublin.

Declan Gorman

Declan Gorman is a playwright and theatre director with a background in community-engaged arts practice and policy. He is currently Associate Artistic Director of Upstate Theatre Project, Drogheda (www.upstate.ie) and Chairperson of CityArts, Dublin. He was formerly an actor and producer with Co-Motion Theatre Company (1985 – '90); Development Officer and Theatre Programmer for City Arts Centre (1990 – '95) and Coordinator of the Arts Council Review of Theatre in Ireland (1995 – '96). He has sat on various boards and committees, including chairing an Abbey Theatre Outreach Education working group and an Arts Council Participatory Arts research committee. He leads an annual masterclass in community playwriting for the New York University Steinhardt School Study Abroad program. In 1999, he received a Stewart Parker award for his play Hades, which forms part of his Border Chronicles Trilogy 1997 – 2007.

Ríonach Ní Néill

Ríonach Ní Néill, originally from Dublin, is a contemporary dancer and choreographer. In Ireland she has worked with Rex Levitates Dance Co, Catapult Dance Co, Corp Feasa, Finola Cronin and Daghdha Dance Company. From 2002 to 2006 she was a member of Tanztheater Bremen, Germany's oldest dance theatre company. She founded her company Ciotóg in 2006 and choreographies include *A Thing of Beauty & A Joy Forever, How did we get Here?, Between Earth, Sky & Home, and Palimpsest,* an intergenerational work for professional and older dancers for the Bealtaine Festival 2008. *Palimpsest* was an intergenerational collaborative dance piece that brought together performers of different ages.

Ceithre Aiste

Scéim Na nEalaíontóirí
Sa Phobal

Arna fhoilsiú ag The Arts Council/ An Chomhairle Ealaíon & Create

An Chomhairle Ealaíon
70 Cearnóg Mhuirfean
Baile Átha Cliath 2
Callsave: 1850 392492
Tel: +353 1 6180200
www.artscouncil.ie

Create
10/11 Sráid an Iarla Theas
Baile Átha Cliath 8
Tel: +353 1 473 6600
www.create-ireland.ie

ISBN: 978-1-869895-08-2

Dearadh: Bennis Design

Réamhrá

Orla Moloney

Ceannaire Rannpháirteachais sna hEalaíona, An Chomhairle Ealaíon

Tugann Scéim na nEalaíontóirí sa Phobal ealaíontóirí agus pobail le chéile mar chuid de phróiseas comhoibritheach chun ealaín a bhreithniú agus a chruthú. Tá an comhoibriú seo tábhachtach agus spreagúil ó thaobh na Comhairle Ealaíon de, ní hamháin i dtéarmaí cuimsithe sóisialta agus comhionannais ach freisin maidir le cleachtadh na n-ealaíon agus forbairt na bhfoirmeacha ealaíne. Agus an Scéim ag éascú don phobal cur lena dtaithí ar na healaíona, cabhraíonn sí freisin le healaíontóirí a n-uaillmhianta ealaíonta a chomhlíonadh, péire de na príomh chuspóirí a leagadh amach in Comhpháirtíocht ar son na nEalaíon, doiciméad straitéise na Comhairle Ealaíon (2006-2010).

Tá an scéim ar oscailt d'ealaíontóirí thar réimse leathan foirmeacha ealaíne chomh maith le grúpaí agus pobail éagsúla. Féadtar gur grúpaí iad seo ó cheantair uirbeacha nó thuaithe; féadfaidh siad a bheith lonnaithe ansin ar feadh i bhfad nó nó díreach daoine atá tar éis teacht isteach san áit le déanaí; féadfaidh siad a bheith ina gcónaí go neamhspleách nó in ospidéal nó i dtimpeallacht chúraim. Féadtar gur daoine iad atá sean, óg, aerach, heitrighnéasach, sa Lucht Siúil, sa phobal socraithe, nó duine ó chúlra eitneach roinnte nó meascán dá bhfuil thuas. Nó, féadfaidh go bhfuil ceangal éigin eatarthu de bharr comhleasa nó caitheamh aimsire. Is cuma cén taithí nó eolas atá ag na rannpháirtithe ar chúrsaí ealaíon, tugann an deis a bheith ag comhoibriú le ealaíontóir oilte seans do dhaoine stopadh agus breathnú in athuair ar an rud sin ar a dtugtar 'normálta' sa saol laethúil. Ní bhaineann 'normáltacht' ar bith leis na healaíona. Is féidir féachaint ar gach rud ó pheirspictíochtaí nua agus faoi shoilse éagsúla. Níl an próiseas teoranta díreach do na rannpháirtithe áfach. Anuas air sin iarrtar ar an ealaíontóir breathnú arís ar a gcleachtas agus ar an bhfoirm ealaíne ina n-oibríonn siad. Is dúshlánach ach inscaoilteach an próiseas é ag gach duine lena mbaineann, ceisteofar foshuíomhanna mar chuid de agus beidh ról ag gach duine i gcruthú saothair nua.

Ní roinntear rochtain ar na deiseanna seo go cothrom áfach. I dtuarascálacha le déanaí ón bhFóram Náisiúnta Eacnamaíoch agus Sóisialach agus ón Institiúid um Thaighde Eacnamaíochta agus Sóisialta deirtear: *In the Frame, Out of the Picture* (NESF/ ESRI 2008) agus *The Arts, Cultural Inclusion and Social Cohesion* (2007) – a fuair treoir ó *An Pobal agus na hEalaíona* (An Chomhairle Ealaíon, 2006) – léiríodh go bhfuil tionchar ag cúlra sóisialta agus eacnamaíochta ar rannpháirtíocht an duine agus an phobail sna healaíona agus go bhfuil tionchar nach beag ag gnóthachtáil oideachais ar an rannpháirtíocht seo freisin. Mhol an taighde seo tús áite a thabhairt do chuimsiú cultúrtha i soláthar agus beartas ealaíon, moladh a bhí ag teacht le tosaíochtaí na Comhairle Ealaíon, agus an cinneadh chun cistiú Scéim na nEalaíontóirí sa Phobal a mhéadú le blianta beaga anuas.

Bíodh sin mar atá, níl sa Chomhairle Ealaíon ach cuid amháin de scéim atá tógtha ar phrionsabal na comhpháirtíochta, prionsabal atá riachtanach i réimse na healaíne agus an chuimsithe shóisialta. Bíonn meascán d'aidhmeanna ealaíonta agus sóisialta nó sláinte ag gach togra de chuid Scéim na nEalaíontóirí sa Phobal agus tá cur chuige comhtháite de dhíth lena chinntiú go dtugtar aitheantas don dá sraith aidhmeanna, go gcuirtear i gcrích iad agus go ndéantar measúnú orthu. Chomh fada is a bhaineann sé léi féin, is í an Chomhairle Ealaíon is fearr atá in ann cistiú a thabhairt agus tacú le cur i gcrích na gcuspóirí ealaíonta, mar uaillmhian, nuálaíocht agus páirtíocht ealaíonta d'ard chaighdeáin trí chur chuige atá dírithe ar na rannpháirtithe a úsáid. Tugann gníomhaireachtaí ó earnálacha eile cineálacha breise saineolais, tacaíochta agus cistithe chun dul i ngleic le cuspóirí comhuaineacha i réimsí sláinte, forbartha pearsanta nó forbartha pobail.

Ar an gcaoi seo, is minic go mbíonn na tograí a fhaigheann cistiú faoi Scéim na nEalaíontóirí sa Phobal níos mó ná mar a chuirtear isteach iontu, ag spreagadh torthaí ealaíonta agus sóisialta nach bhféadfaí a shamhlú, gan trácht ar a gcur i gcrích ag aon chomhpháirtí amháin as féin.

Leis an dtimpeallacht eacnamaíoch atá ann faoi láthair, beidh páirtíocht den chineál seo riachtanach san earnáil chun dul i ngleic leis na dúshláin mhóra atá amach romhainn. Beidh air réimse leathan geallsealbhóirí ag taisteal chun idirbhearta a dhéanamh sa chaoi go mbeidh páirt éifeachtach a ghlacadh ag lucht na nEalaíona nuair atá cistí á phlé. Ní amháin ar son na hEalaíona, ach nuair atá rudaí ar nós cúrsaí pobail, cúrsaí óige, rialtas agus sláinte á phlé freisin.

Deis thábhachtach atá san fhoilseachán seo ag ceathrar ealaíontóirí éagsúla machnamh a dhéanamh ar a dtaithí féin ó bheith ag obair mar chuid de Scéim na nEalaíontóirí sa Phobal agus na torthaí dóibh féin agus do na grúpaí lena raibh siad ag obair a mheas. Tá níos mó agus níos mó ealaíontóirí, thar na foirmeacha ealaíne

uile, ag breathnú i dtreo rannpháirtíocht sna healaíona mar chuid lárnach dá gcleachtas, ach in ainneoin seo ar fad is beag an t-aitheantas atá ag an obair seo go fóill. Tá an saothar criticiúil sin fós in easnamh, a thugann cuntas agus dúshláin agus a cheiliúrann na héachtaí agus na modheolaíochtaí ealaíonta, agus a nochtann na sraitheanna casta a bhaineann le togra comhoibritheach. Dá bharr seo, is minic an baol ann nach dtuigfear an saothar, agus nach ndéanfar a luach i dtéarmaí ealaíne a mheas mar is ceart. Mar thoradh ar léirstiní diúltacha, bídís de bharr comhshamhlú típeanna neamhchriticiúla, nó tuairim chúng ar cad is fiúntas ealaíonta, nó taithí dhiúltach ar shaothar ealaíne ar leith, bíonn an baol ann go ndéanfaí an bonn a bhaint de mhuinín agus dul i riosca ealaíonta a theorannú taobh istigh den earnáil. Níl i bhfoilseachán Scéim na nEalaíontóirí sa Phobal ach céim bheag amháin i dtreo aghaidh a thabhairt ar an easpa doiciméadúcháin chriticiúla ach is iarracht shoiléir atá ann dul thar cuntasacht lom chun ceisteanna níos doimhne a chur faoi nádúr agus cháilíocht na hoibre.

Is éard a shíolraíonn ó na cheithre aiste ná cuntas ar na himbhuailtí cruthaitheacha a tharla nuair a chas na healaíontóirí agus na grúpaí ar a chéile chun scéalta, peirspictíochtaí, suimeanna agus buanna a roinnt, agus nuair a thosaigh siad á múnlú agus a mbeachtú le chéile trí phróiseas ealaíonta. Ag glacadh leis an tábhacht atá le comhpháirtíocht, tá sé suntasach, agus go deimhin is díol spéise é, gur chuir na healaíontóirí uile béim ar chumarsáid. D'fhonn fíorchomhoibriú a bhaint amach b'éigean gach rud, idir aidhmeanna agus chur chuige, idir mhodhanna agus ábhair, a mheas agus a phlé chun difríochtaí a nochtadh agus comhsheilbh a fháil ar chinntí. Ar an gcaoi chéanna rinne na healaíontóirí tagairt do líon beag gnéithe, gnéithe a dhealraíonn sé atá riachtanach chun dul chun cinn éifeachtúil agus cruthaitheach a éascú. Ina measc seo bhí tacaíocht trasearnála, soiléireacht rólanna, solúbthacht, oscailteacht don chomhfhoghlaim, agus thar aon cheo eile... am. Dealraíonn sé gur thug na gnéithe seo bhunchloch daingean don saothar, rud a thug deis do na healaíontóirí agus do na rannpháirtithe iad féin a fhorbairt go healaíonta, agus mar a dúirt an t-ealaíontóir Ríonach Ní Néill, '...an domhan agus an spéir a thabhairt le chéile.'

Cé go raibh taispeántas poiblí mar thoradh ar an cheithre thogra seo is fiú tabhairt faoi deara go bhfuil Scéim na nEalaíontóirí sa Phobal solúbtha maidir leis seo. Is féidir torthaí a phleanáil chun freastal ar riachtanais na ndaoine agus na ngrúpaí atá i gceist ionas go mbeidh an t-eispéireas ealaíonta sainiúil agus stuama i gcónaí. Is í an tsainiúlacht seo a chinntíonn gur nuálach agus spreagúil an obair í agus go scaoileann sí leis an ngné chruthaitheach ar a dtugann Francois Matarasso 'draíocht' ealaíonta - toradh atá deacair a shainmhíniú ach fós é ar cheann de na gnéithe a shíolraíonn go cinnte ó na cheithre aiste sa bhailiúchán seo.

Athshamhlú Pobail

Sarah Tuck

Stiúrthóir, Create

Tá sé de phribhléid ag Create, an ghníomhaireacht náisiúnta forbartha do na healaíona comhpháirteacha, a bheith ag bainistiú Scéim na nEalaíontóirí sa Phobal, thar ceann na Comhairle Ealaíon ó 2001 i leith. Tá réimse na n-ealaíontóirí atá ag obair le comhthéacsanna pobail agus iontu, sna bailte agus faoin tuath, tar éis dul i méid go mór ar fud na hÉireann le linn an ama seo.

Iarrann Scéim na nEalaíontóirí sa Phobal ar ealaíontóirí a gcleachtas a lonnú le pobail suime agus/nó áite, agus dá réir seo teorainneacha foirmiúla dhisciplíní na bhfoirmeacha ealaíne a bhrú chun cinn agus na ceisteanna criticiúla maidir le cé ag a bhfuil an cumas ealaín a dhéanamh a dhoimhniú. Tá an scéim, tar éis fhorbairt na mblianta, ina sás lárnach trína dtuigtear anois na healaíona comhpháirteacha mar chleachtas ealaíne atá comhaimseartha, beoga, agus fuinniúil.

Chomh maith le seo, tá cuid de na fadhbanna a bhaineann le sainmhíniú ar cad is pobal ann cíortha ag ealaíontóirí trí ríog chun cumha a sheachaint agus coincheap na háite agus na féiniúlachta a athmhúnlú ar bhealach a oireann don saol ina mairimid. Sa bhailiúchán aistí seo tá grúpa feirmeoirí tuaithe, club colmán i mBaile Munna, oibrithe tís arb imircigh iad agus daoine óga ó Dheisceart Bhaile Átha Cliath. Tá sé d'aidhm againn sa tsraith aistí seo, i gcomhpháirt leis an gComhairle Ealaíon, léargais a thabhairt ar conas a gineadh tograí cheathrar ealaíontóirí, Declan Gorman, Rhona Byrne, Ríonach Ní Néill agus Susan Gogan le grúpaí áirithe. Tugann na haistí seo cuntas i bhfocail na n-ealaíontóirí féin ar na dúshláin a bhí rompu chomh maith leis an saineolas ab éigean dóibh a dhearmad chun togra ealaíon comhaimseartha a chur i gcrích i gcomhpháirt le pobal.

Tá súil againn go léiríonn an foilseachán seo fianaise den tábhacht atá le Scéim na nEalaíontóirí sa Phobal d'earnálacha na n-ealaíon agus an phobail, agus go léiríonn sé freisin na bealaí ina dtugann na healaíona comhpháirteacha múnla nua oibre agus rochtana do na healaíona. Aithníonn Scéim na nEalaíontóirí sa Phobal ról riachtanach na n-ealaíon i sochaí shibhialta agus i ndaonlathas rannpháirtíoch. Tugann sí ómós freisin do chumais chruthaitheacha an phobail chun freagairt agus múnlú samhlaíoch a dhéanamh ar chruthú na healaíne.

Ó 2002 i leith tá 100 ealaíontóir cistithe ag Scéim na nEalaíontóirí sa Phobal ó réimse leathan foirmeacha ealaíne chun dul i mbun oibre le pobail i réimse leathan comhthéacsanna - agus chuir níos mó ná 500 grúpa agus pobal ar fud na tíre iarratas isteach ar an Scéim chun oibriú i gcomhpháirt le healaíontóir.

Tugadh sraith Taighde agus Forbartha isteach in 2005, mar aitheantas ar chomh tábhachtach is atá am má tá ealaíontóirí chun oibriú go héifeachtach le pobal áite agus /nó suime. Tugann sé seo an t-am agus an spás d'ealaíontóirí chun machnamh a dhéanamh ar smaointe tograí i gcomhar le pobal. Cinntíonn seo go bhfanfaidh saothar na n-ealaíontóirí úr agus athnuaite agus go mbeidh sé d'am ag ealaíontóirí agus ag pobail machnamh ceart a dhéanamh ar choincheapa agus ar smaointí a bhfuil riosca ag baint leo. Cuireann an tsraith Taighde agus Forbartha ar chumas ealaíontóirí freisin athbhreithniú réamhghníomhach a dhéanamh ar cad is pobal ann, ag imscrúdú na mbealaí éagsúla a thagann daoine le chéile de bharr comhleasa, bídís ina ngrúpaí pógódóirí iarphunc, reathairí saora, trádálaithe margaidh nó grúpa Bailte Slachtmhara.

Déanann Scéim na nEalaíontóirí sa Phobal ceiliúradh ar thaithí an phobail agus leis sin sáraítear na nóisin thraidisiúnta a bhain leis an ealaíontóir agus an lucht féachana. Tá súil againn go léiríonn an foilseachán seo an cumas radacach atá ag cleachtadh na n-ealaíon comhpháirteach chun athmhúnlú a dhéanamh ar an tuiscint atá ag pobal ar bith ar na healaíona comhaimseartha. Tá súil againn freisin ar bhonn mórtasach, go gcuirfidh an leabhar seo le saothar oibre atá ag dul i méid, a dhéanann cur síos ar na healaíona comhpháirteacha mar cheann de na hathruithe is mó ag a raibh tionchar acu ar chruthú na healaíne le blianta beaga anuas.

Susan Gogan

Opening Doors

Is éard a bhí in Opening Doors ná tionscadal grianghrafadóireachta comhoibritheach le Susan Gogan, grianghrafadóir, agus baill den Ghrúpa Tacaíochta d'Oibrithe Baile ó Lárionad na hÉireann um Chearta Imirceach. Reáchtáladh taispeántas den saothar ag an nGailearaí Grianghrafadóireachta 9ú Márta – 5ú Aibreán, 2007.

Tháinig Edel McGinley ó Lárionad na hÉireann um Chearta Imirceach chugam toisc gur chinn grúpa oibrithe baile arb imircigh iad gur mhaith leo comhoibriú le healaíontóir i dtionscadal ina mbeifí ag plé leis an ngrianghrafadóireacht mar chleachtas ealaíne. Tá an Grúpa Tacaíochta d'Oibrithe Baile ar bun i mBaile Átha Cliath agus tá sé comhdhéanta de ghrúpa lárnach de thríocha bean, a bheag nó a mhór, as na hOileáin Fhilipíneacha den chuid is mó, ach ón India, ón bPacastáin, ón tSeoirsia agus ó Oileáin na Tríonóide agus Tobága freisin. Bunaíodh an grúpa in 2004 chun aghaidh a thabhairt ar na bacainní a bhí rompu agus iad ag iarraidh teacht ar chearta sóisialta agus eacnamaíocha. Ní raibh ach fíorbheagán taithí ag a bhformhór ar na healaíona gairmiúla. An tráth a chuireamar tús leis an tionscadal grianghrafadóireachta áfach, bhíodar díreach tar éis cuilt a chríochnú lenar cuireadh réimsí fadhbacha na hoibre baile chun suntais.

Bhí Edel ar an eolas faoi mo chleachtas ealaíne go dtí seo agus faoin spéis a bhí agam i saincheisteanna a bhaineann leis na hathruithe atá ag teacht ar chúrsaí déimeagrafacha i sochaí na hÉireann. Is éard a bhíonn i gceist le mo chuid oibre ná grianghraif mhóra stáitsithe a chruthú lena bhféachtar ar na struchtúir chumhachta agus ar na straitéisí um chuimsiú agus eisiamh a bhíonn i gceist laistigh de na háiteanna mar a gcónaímid. Nuair a tháinig Lárionad na hÉireann um Chearta Imirceach chugam, d'aithin mé láithreach poitéinseal an phróisis chomhoibrithigh chun mo chuid oibre a bhrú i dtreo nua. Bhain deis leis an tionscadal freisin go rachadh an Grúpa Tacaíochta d'Oibrithe Baile i gceann an spáis bhaile agus go

Creidiúint grianghrafadóireachta: Roinnt baill ó Ghrúpa Tacaíochta d'oibrithe baile de chuid Lárionad na hÉireann um Chearta Imirceach

gcruthóidís a dtagairtí siombalacha féin faoi chuimsiú an tsaothair a tháirgfeadh muid le chéile. Trína rannpháirtíocht ghníomhach sa táirgeacht chultúir, d'fhéadfaí an léiriúchán le grianghraif a chur i lámha na mban iad féin.

Le linn cruinnithe tosaigh le hEdel, bhíomar ar aon intinn go mbeadh an fhormáid stáitsithe agus próiseas an stáitsithe ina bhealach ar leith le fíor-chomhoibriú a bhaint amach trí phróiseas ina bhféadfadh na mná aghaidh a thabhairt go poiblí ar shaincheisteanna casta a bhí ina n-údar buairimh ar leith amhail easpa príobháideachais, a bheith scoite amach, rialú sóisialta, ciníochas, mí-ionramháil agus teorainneacha míshoiléire maidir le huaireanta oibre. Ag an am céanna, d'fhéadfainn cloí le mo mhodhanna oibre agus le mo chleachtas ealaíne féin agus iad a fhorbairt tuilleadh. Ag an tús, aestéitidil phortráide dhoiciméadach a bhí le bheith i gceist agus na híomhánna á stáitsiú, agus bhreathnódh ábhair na ngrianghraf (na mná iad féin) díreach isteach sa cheamara agus ar an gcaoi sin, bheidís i mbun caidrimh dhírigh leis an mbreathnadóir. I rith an phróisis chomhoibrithigh áfach, tháinig athrú ar an mbéim sa saothar, rud a d'fhág go raibh an aestéitidil phortráide dhoiciméadach seo mí-oiriúnach.

Ceann de phríomhaidhmeanna an Ghrúpa Tacaíochta d'Oibrithe Baile ná oiliúint agus forbairt scileanna mar sin tháinig sé seo chun a bheith ina fhachtóir tábhachtach sa bhealach a cuireadh an tionscadal le chéile. Bhí an Grúpa Tacaíochta d'Oibrithe Baile ag teacht le chéile Domhnach amháin in aghaidh na míosa ag Club na Múinteoirí i gCearnóg Parnell cheana féin (agus an Beart um Chothromas do Mhná ag tacú leo). Chuireamar tús leis na seisiúin ghrianghrafadóireachta trí bhreathnú ar thionscadal grianghrafadóireachta lenar tugadh cuntas ar shaol oibrithe imirceacha mná i Singeapór, rud a spreag go leor spéise agus díospóireachta bríomhaire. Bhí an-chuid comhbhá ag na mná sa ghrúpa leis na híomhánna seo, sa mhéid is gurbh éasca leo an nasc idir na saincheisteanna, mothúcháin agus eispéiris a bhí á gcur in iúl, agus an cheapadóireacht agus an soilsiú a bhí úsáidte ag an ngrianghrafadóir, a fheiceáil.

Tháinig seisiúin theicniúla ina dhiaidh, lenar múineadh úsáid an tsoilsithe agus an cheapadóireacht don ghrúpa. Chuir siad tús ansin le tionscadal doiciméadach féinstiúrtha dubh agus bán. An cúram a leagadh orthu ná cuntas a thabhairt ar a gcuid ama saoir, cuid thábhachtach dá saol a mheas siad gur bheag ag a bhfostóirí í. Léirigh an rud a tháinig amach fíoréagsúlacht in eispéiris na n-imirceach. Chlúdaigh siad gach rud, idir íomhánna pearsanta cairdis agus nóiméid phríobháideacha

Creidiúint grianghrafadóireachta: Roinnt baill ó Ghrúpa Tacaíochta d'oibrithe baile de chuid Lárionad na hÉireann um Chearta Imirceach

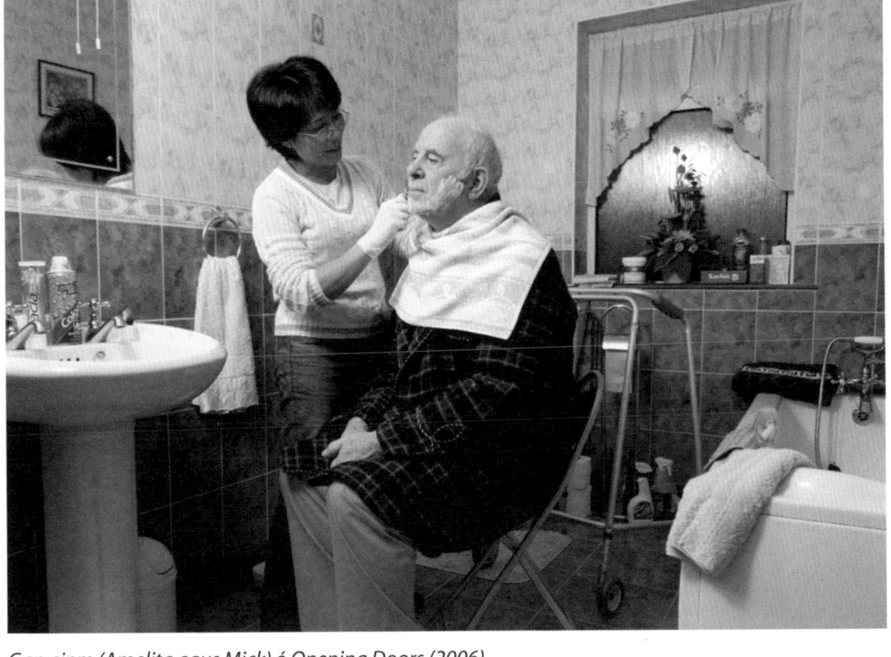

Gan ainm (Amelita agus Mick) ó Opening Doors (2006)
Prionta crómaigineach a chrochadh ar phainéil Dibond 110cm x 163cm

mhachnaimh; idir ghrianghraif de shráideanna cathrach Bhaile Átha Cliath agus íomhánna grámhara teaghlaigh in Éirinn agus thar sáile. Rinneadh eagarthóireacht ar na tionscadail seo le linn grúpaí léirmheastóireachta le ceathrar nó cúigear ban le chéile. Ag mé ag bualadh leis na mná i ngrúpaí beaga, is ansin a bhí fíor mheas agam ar an deis le cairdis nua a dhéanamh laistigh de chultúir a bhí i bhfad amach ó mo thaithí laethúil roimhe sin.

Thosaíomar ar na saothair stáitsithe tar éis an phróisis eagarthóireachta agus dhá chuairt ar ghailearaithe. Cinneadh le linn luath chéimeanna an tionscadail go dtabharfaí aghaidh leis na híomhánna stáitsithe ar shaincheisteanna éagsúla le fócas ar na teannais spásúla a d'airigh na mná ina saol laethúil. Ag an am céanna, cinneadh gur thábhachtach freisin go gcuirfí an neart atá acu ina bhfostaíocht in iúl, chomh maith le tábhacht a n-oibre agus an meas atá ag dul dá n-áit sa theaghlach. An aidhm a bhí agam mar ealaíontóir ná éascú leis an bpróiseas. Nuair a tháinig an t-am le tús a chur leis na saothair stáitsithe, d'airigh an grúpa go raibh siad sách fada ag díriú ar ghnéithe diúltacha a saoil oibre tríd an gcuilt, agus gur thábhachtach anois go dtabharfaí tús áite do luach na hoibre a dhéanann siad agus do raon ollmhór na scileanna a bhíonn ag teastáil chun na héilimh a bhaineann leis

an obair a chomhlíonadh. Dréachtadh liosta de na scileanna agus de na taisc seo agus tosaíodh ag díriú orthu siúd sna grianghraif stáitsithe. Rud eile a raibh na mná ag iarraidh tús áite a thabhairt dó ná an gá ollmhór leis an dílseacht agus leis an gcion, a bhí ina gcuid lárnach dá gcaidrimh leis na leanaí agus na seandaoine a bhí faoina gcúram, a chur in iúl.

Cinneadh go dtáirgfí sé shaothar mhóra ghrianghrafadóireachta agus roinneadh baill an Ghrúpa Tacaíochta d'Oibrithe Baile ina ngrúpaí beaga, agus gach ceann díobh freagrach as íomhá amháin. Edel agus mé féin a lorg na suímh ar dtús. Rinneadh grianghraif de sheomraí éagsúla i ngach suíomh agus na híomhánna a mhéadú ionas gur méid A2 a bheag nó a mhór a bhí iontu sa chaoi is go mbeadh gach ceann den sé ghrúpa ban in ann seomra a roghnú go bhféadfaidís oibriú leis agus cinneadh a dhéanamh faoi na saincheisteanna a d'fheil don suíomh agus ar mhian leo aghaidh a thabhairt orthu. Bhí ar na mná colláis a dhéanamh ansin chun cabhrú le próiseas forbartha na gcoincheap agus leis an íomhá ar leith a bhí acu a léirshamhlú. Cuireadh liosta de róil mholta i láthair gach grúpa freisin, róil a bheadh riachtanach le saothar stáitsithe a phleanáil agus a chur i gcrích. Mar chuid de seo, bhí cuspa le roghnú (ball den ghrúpa a bheadh le feiceáil sa ghrianghraf deiridh), agus cinntí le déanamh maidir le frapaí, éadaí agus gruaig, soilsiú agus doiciméadú. Tugadh le fios don ghrúpa freisin go mbeadh ealaíontóir smididh gairmiúil i láthair don chuspa lena chinntiú go n-aireodh sí muiníneach go léireofaí an íomhá ab fhearr di.

Is iomaí dúshlán a bhí i gceist le scála agus castacht an tionscadail seo agus na fótasheisiúin á n-eagrú. In ainneoin dúshlán ó thaobh cúrsaí eagrúcháin, bhain fíor fhuinneamh an tionscadail leis na fótasheisiúin agus b'iontach amach is amach an t-eispéireas iad do gach duine dínn. Toisc go rabhamar ar fad ag obair le chéile ar feadh ocht mí, a bheag nó a mhór, faoin tráth sin, bhí smaointe ag teacht i bhfócas go grinn agus bhí sé thar a bheith spraíúil. Cuireadh tús le gach lá le díospóireacht i ngrúpa agus an cholláis ábhartha á húsáid mar phointe tosaithe chun smaointe a mhionathrú chun feabhais agus cinntí deiridh a dhéanamh faoi fhrapaí, ghruaig agus éadaí. Rud a bhí níos tábhachtaí, ba é téama na ndíospóireachtaí ná conas a bhfreagracht féin a léiriú chomh maith lena thugtha is a bhíodar dá n-obair agus go sainmhíneoidís conas a bhí an caidreamh idir an bhean agus an leanbh nó an seanduine le cur in iúl trí riocht na colainne, chomharthaíocht cholainne, ghothaí gnúise agus chomhdhéanamh foriomlán na híomhá. Mar gheall gurbh é an aidhm ná dlúthchaidrimh, idir an cúramóir agus na daoine a rabhthas ag tabhairt aire dóibh, a chur in iúl, is le linn na ndíospóireachtaí seo i ngrúpaí gur léiríodh i gceart nár fheil smaoineamh na haestéitidile portráide doiciméidí don choincheap anois.

Tógadh na grúpaí tríd na céimeanna le soilsiú gairmiúil a shocrú agus chuathas i gcomhairle leo faoi chinntí soilsithe trí phictiúir *Polaroid* a úsáid. Chóirigh an grúpa iomlán an seit le frapaí ansin, agus iad ag idirghníomhú go mór leis an bpróiseas cruthaitheach agus ag tabhairt an-chuid airde ar fad ar na mionsonraí. De bharr na hairde móire a bhí siad ag tabhairt ar na mionsonraí, ba léir dom a thugtha don ghairmiúlacht is a bhíonn na mná ina gcleachtais oibre féin, agus a mhéid is a thuig siad an tábhacht mhór a bhain leis na híomhánna seo agus iad ag rialú na ndearcadh a bheadh ag daoine sa saol mór orthu.

Ina dhiaidh, roghnaigh mé sampla beag priontaí as measc ceithre nó cúig rolla scannáin in aghaidh an fhótasheisiúin le cur i láthair gach grúpa ionas go bhféadfaí na híomhánna deiridh a roghnú le cur ar taispeáint. Bhíomar ar fad ar aon intinn maidir leis na cinn a bhí ar an sé híomhá ba láidre tar éis an bealach a chomhlíon gach íomhá na critéir go roghnófaí í, a phlé. Roghnaíodh na híomhánna ar bhonn an chaidrimh a bhí á chur in iúl, an comhdhéanamh a bhí i gceist ar an iomlán, frapaí buntábhachtacha a bheith le feiceáil, tascanna agus scileanna buntábhachtacha á léiriú agus fíordheimhneacht fhoriomlán an radhairc ó thaobh a gcleachtais oibre féin. Tugadh súil siar ar na híomhánna dubh agus bán ag an staid seo freisin agus bhí deis ag an ngrúpa iomlán a rá cén íomhánna ar chóir a chur isteach sa taispeántas deiridh, dar leo. Shínigh gach duine ar iarradh a gcead le bheith sna pictiúir foirm fhuascailte ansin (shínigh tuismitheoirí foirmeacha thar ceann a leanaí) ionas go mbeadh cead againn iad a chur ar taispeáint agus a fhoilsiú.

Reáchtáladh taispeántas deiridh an tsaothair ag an nGailearaí Grianghrafadóireachta. Bhí an t-imeacht leis an taispeántas a oscailt ar Lá idirnáisiúnta na mBan 2007 ríthábhachtach le braistint an éachta, na muiníne agus an bhróid sa saothar a chur chun cinn. Tráthnóna dodhearmadta a bhí ann dúinn ar fad nuair a osclaíodh an taispeántas sa ghailearaí, agus bhí an píosa faoi ar Nuacht RTÉ ar a naoi a chlog an tráthnóna céanna, ina bhuaicphointe ceart. Leagann an teoiricí Afra-Mheiriceánach, bell hooks, béim ar thábhacht na táirgeachta cultúir lena láraítear spéiseanna agus eispéiris ghrúpaí imeallaithe. Rud a chreideann sí ná go bhfuil an taitneamh a bhaintear as a bheith ag gluaiseacht amach as an "áit" a ainmnítear do dhuine i sochaí agus saothair den sórt sin á bhfeiceáil nó á léamh, ina sheasamh dúshlánach polaitiúil ann féin, lena gcuirtear i gcoinne na gcumhachtaí ceannasacha i sochaí. Tá an Grúpa Tacaíochta d'Oibrithe Baile tar éis smaointe Hooks a thabhairt ar aghaidh go mór. I bhfocail Elsa Fontanoz, duine de na mná a labhair go poiblí ag an oscailt an oíche sin "...is féidir muid a fheiceáil, faoi dheireadh."

Lárionad na hÉireann um Chearta Imirceach – Grúpa Tacaíochta d'Oibrithe Tí

Is eagraíocht náisiúnta é Lárionad na hÉireann um Chearta Imirceach (Migrant Rights Centre Ireland - MRCI) a oibríonn i gcomhar le spailpíní fánacha agus a dteaghlaigh, agus ar a son. Is é a misean ná na coinníollacha a chur chun cinn a chruthóidh comhtháthú sóisialta agus eacnamaíoch agus comhionannas i gcomhair spailpíní fánacha atá i staideanna leochaileacha. Bhunaigh MRCI an Grúpa Tacaíochta d'Oibrithe Tí (Domestic Workers Support Group - DWSG) mar fhreagairt ar na tuairiscí méadaithe ar dheacrachtaí a bhíonn ag spailpíní fánacha tí.

Tá an DWSG comhdhéanta as na himircigh mná atá fostaithe i dteaghlaigh phríobháideacha mar chúramóirí agus fheighlithe leanaí. Tagann rannpháirtithe le chéile i dtimpeallacht atá tacúil, sábháilte agus a thugann cumhacht dóibh, áit ar féidir leo a gcuid taithí a roinnt, agus anailís agus machnamh a dhéanamh uirthi d'fhonn cúrsaí a athrú. Tá sé fíorthábhachtach do rathúlacht an ghrúpa gur féidir leo ceisteanna a nochtadh agus gur féidir leo a bheith gníomhach i gcinnteoireacht maidir leis na ceisteanna a bhfuil tionchar acu ar a saol. Faoi láthair, tá an DWSG ag éileamh go mbunófar cosaint reachtúil a thugann aitheantas dá saol oibre mar atá sé.

Ríonach Ní Néill

Between Earth, Sky & Home

Cuntas ar an gcomhoibriú idir Ríonach Ní Néill, ealaíontóir damhsa, Seirbhísí Óige Bhaile Uí Rónáin, Cluain Dolcáin Thuaidh, agus damhsóirí gairmiúla ó Ciotóg 2007/8.

Is saothar damhsa uair an chloig é *Between Earth, Sky and Home* a ndearna mé féin, Ríonach Ní Néill, stiúrthóireacht agus córagrafaíocht air, i gcomhoibriú le 15 duine óg ó Sheirbhísí Óige Bhaile Uí Rónáin *(Ronanstown Youth Services)*, i gCluain Dolcáin Thuaidh, agus ceathrar damhsóir gairmiúil ó chompántas damhsa Ciotóg. Ba í Fiona Delaney, Oifigeach Forbartha Ealaíon Chontae Bhaile Átha Cliath Theas (Damhsa & Ceol) do Chluain Dolcáin Thuaidh, a chuimhnigh ar chomhoibriú idir daoine óga áitiúla agus ealaíontóir damhsa comhaimseartha mar chuid dá sainchúram le saothar nua a fhorbairt a bhaineann leis an gceantar go sonrach. Ba é an aidhm ná thírdhreach Chluain Dolcáin Thuaidh a iniúchadh. Trí shraith cruinnithe forbartha, spreag sí roinnt daoine le spéis a chur sa tionscadal - Marie Carey, Oifigeach Forbartha Ealaíon don Óige le Seirbhís Óige Bhaile Uí Rónáin agus Chluain Dolcáin, Maria McCormack, teagascóir damhsa sa chlub taibh-ealaíon RYS Kreate, agus Elisabetta Bissaro, Oifigeach Forbartha do Dhamhsa Éireann, an eagraíocht acmhainní náisiúnta don damhsa gairmiúil, a thug cuireadh dom teacht isteach mar dhuine a d'fhéadfadh feidhmiú mar ealaíontóir damhsa.

An chéad chéim ar fad a rinneamar ná sraith cheardlann agus chruinnithe praiticiúla a sheoladh le maoiniú forbartha Chéad Chéime ó Scéim na nEalaíontóirí sa Phobal. D'fhág sé seo go rabhamar in ann dhá cheardlann damhsa a reáchtáil le rannpháirtithe i gclub taibh-ealaíon RYS Kreate, rud a mheall 20 duine idir 8 agus 15 bliana d'aois a raibh spéis acu ann chomh maith lena gcuid tuismitheoirí. Bhuaileamar le tuismitheoirí chun saincheisteanna a phlé freisin, ina measc na haidhmeanna ó thaobh na healaíne, an costas agus an méid ama a bheadh ag teastáil. Comhaontaíodh formáid an tionscadail chomh maith leis an bhfráma ama. Rinneadh róil na n-eagraíochtaí comhpháirteacha amach freisin. Chuireamar isteach ar Chéim a Dó de Scéim na nEalaíontóirí sa Phobal de chuid na Comhairle

Creidiúint grianghrafadóireachta: Between Earth Sky and Home, Ríonach Ní Néill. Grianghraf tógtha ó físeáin- Joe Lee.

Ealaíon. D'fhoinsíomar maoiniú croschineálach ó Oifig Ealaíon Chomhairle Contae Bhaile Átha Cliath Theas chomh maith agus tacaíocht chomhchineáil ó Dhamhsa Éireann agus RYS, agus ar aghaidh linn.

Bhí imní orm ag an tús faoi roinnt rudaí. Bhí a fhios agam nach raibh mórán eolais ag na rannpháirtithe óga, ag a dtuismitheoirí ná ag roinnt de na comhpháirtithe ar an damhsa comhaimseartha ná ar an bpróiseas córagrafaíochta. Bhí faitíos orm, sula bhféadfadh na rannpháirtithe taithí a fháil ar thorthaí an phróisis, go mbeadh an iomarca i gceist leis an obair chrua, leis an bpróiseas lena n-aigne a dhíriú ar an saothar agus sa tiomantas a bheadh ag teastáil. Agus ar ndóigh, mar a bhíonn i gceist le gach saothar nua, bhí roinnt ceisteanna do mo chrá: An n-oibreodh sé? An mbeadh rud éigin á chur in iúl leis? Arbh fhiú é?

Ag féachaint siar anois dom, bhí roinnt príomhfhachtóirí, a d'fhág gur éirigh leis an tionscadal, ann ón tús beagnach. Ar an gcéad dul síos, bhí an t-ádh dearg orainn go raibh grúpa daoine a bhí tugtha don tionscadal, taobh thiar de, agus a n-eagraíochtaí ag tacú leo. Bhí na spéiseanna éagsúla a bhí acu fite fuaite lena chéile ar bhealach dearfach. Bhí siad meáite air go bhfeidhmeoidís ar son na nithe ab fhearr do na daoine a raibh siad freagrach astu. Bhí siad toilteanach idirbheartaíocht a dhéanamh. Bhí líonra cumarsáide láidir ann idir na comhpháirtithe difriúla, rud a chinntigh go bhféadfaí riachtanais gach duine a chur in iúl agus a chloisteáil.

B'idirbheartaíocht thábhachtach, agus leanúnach é róil na gcomhpháirtithe a shainmhíniú. Mar Ealaíontóir sa Phobal, ba é an príomhról a bhí agam ná córagrafaíocht agus stiúradh a dhéanamh ar an tionscadal léirithe, ach is iomaí ról eile a bhí agam freisin. Is iomaí ról a bhí ag Fiona Delaney chomh maith. Mar bheochantóir agus chomhpháirtí cruthaitheach, thionscain agus chomhfhorbair sí an téama ealaíne. Thug sí réamheolas ar uirlisí na hamharcealaíne agus na hailtireachta tírdhreacha do na rannpháirtithe agus sholáthair sí faisnéis taighde ar Chluain Dolcáin Thuaidh. Bhain sí úsáid as líníochtaí, sceitsí agus grianghraif de na damhsóirí óga chun cabhrú le hacmhainn amharcealaíne a chruthú i bhfoirm líníochtaí, sceitsí agus grianghraf de na damhsóirí óga agus dá dtimpeallachtaí áitiúla, de réir mar a bhí 'coimisiúnaithe' acu féin. Rinneadh taispeántais, a bhí ag gabháil leis na léiriúcháin, díobh seo san fhorhalla. Chomh maith leis sin d'éascaigh sí leis an gcomhoibriú idir na heagraíochtaí comhpháirteacha, chuir sí comhoibriú tánaisteach chun cinn, thiomsaigh sí airgead, agus chomhlíon sí róil ó thaobh an tionscadal a léiriú agus a chur chun cinn.

Bhí sé tábhachtach freisin go gcinnteofaí go mbeadh idirchaidreamh éifeachtach idir grúpaí i bhfeidhm. Ba í Marie Carey, Oifigeach Forbartha Ealaíon don Óige le Seirbhís Óige Bhaile Uí Rónáin, an príomh theagmhálaí idir na daoine óga, a dtuismitheoirí agus na rannpháirtithe eile. Ghlac Maria McCormack, teagascóir damhsa RYS Kreate, páirt mar thaibheoir agus mar theagascóir tacaíochta. D'fhág sin go gcomhlánódh an tionscadal clár damhsa leanúnach RYS Kreate agus go gcinnteofaí go mbeadh tionchar níos fadtéarmaí ag an tionscadal chomh maith le leanúntas i gcleachtas damhsa na ndaoine óga. Bheadh Marie in ann leas a bhaint as na teicnící nua damhsa agus córagrafaíochta ina cuid oibre leis an gclub tar éis don tionscadal teacht chun críche. Thug Elisabetta Bisaro, mar speisialtóir tacaíochta damhsa, na healaíontóirí damhsa ar bord, rinne sí idirbheartaíocht go mbainfí cothromaíocht amach idir riachtanais an óstghrúpa comhphobail agus an t-ealaíontóir gairmiúil damhsa. Thug sí tacaíocht agus cabhair do na páirtithe cruthaitheacha freisin.

Chuaigh na damhsóirí, 14 ó Kreate Sheirbhís Óige Bhaile Uí Rónáin, agus an ceathrar ealaíontóir gairmiúil damhsa, i mbun taighde don saothar agus lena chruthú agus a léirmhíniú. Bhí ar na damhsóirí gairmiúla gníomhú mar rólchuspaí, smachtaithe, mhúinteoirí agus mar mheantóirí mar gheall ar na cúinsí ar leith a bhain leis an dtionscadal. Bhíodar ag tacú agus ag comhoibriú le healaíontóirí óga gan taithí gairmiúil. Bhí orthu sábháilteacht ó thaobh cúrsaí fisiciúla a chinntiú le linn na gcleachtaí agus an léiriúcháin freisin. Mar chuid den phróiseas seo freisin, do gach duine den cheathrar damhsóir gairmiúil, bhí orthu bealach nua a aimsiú chun dul i ngleic leis an tírdhreach agus an teanga fhisiciúil a raibh saintaithí acu uirthi ach a bhí neamhaithnid anois toisc na tástála a rinne na daoine óga uirthi.

Ba é an phríomhaidhm ná saothar ar chaighdeán gairmiúil a chruthú laistigh de chomhthéacs sonrach. Bhí sé tábhachtach domsa go gcomhaontódh na comhpháirtithe gurb ealaíontóir cruthaitheach mo ról mar Ealaíontóir sa Phobal seachas oideoir. Theastaigh uaim go mbreathnófaí ar na daoine óga, agus go mbreathnódh siad orthu féin, mar chomh-ealaíontóirí. Chun éascú leo iad féin a chur in iúl trí mheán na healaíne, agus mé ag aithint nach raibh mórán taithí acu, dhéanfainn féin, agus na damhsóirí gairmiúla, ár gcuid scileanna agus taithí a roinnt leis na healaíontóirí óga, ach leis an bhfócas i gcónaí ar an gcomh-chuspóir cruthaitheach a bhí againn le chéile, mar chompántas. Bhí sé d'aidhm agam an tionscadal a chur i gcomhthéacs saothair ghairmiúil damhsa lena gcomhtháthófaí ealaíontóirí neamhoilte. Spreag múnlaí difriúla a chuaigh i bhfeidhm orm mé, ar nós saothar Irish Modern Dance Theatre John Scott le hiarrthóirí tearmainn agus

saothar Dance Exchange Liz Lerman le damhsóirí neamhghairmiúla. Rud eile a spreag mé ná an úsáid a bhain Ken Loach as daoine a bhí ag aisteoireacht den chéad uair ina chuid scannán.

Faighim spreagadh i mo chuid oibre mar chóragrafóir ó bheith ag plé le saincheisteanna daonna agus sóisialta. An rud is déanaí a bhí ar siúl agam ná machnamh faoi cheisteanna buntábhachtacha: *Cé as a dtagann an damhsa?' Cé a fhéadfaidh damhsa?' Céard faoi? Cé dó? Cén daoine a bhféadfar a ndamhsa a fheiceáil?* Bhí roinnt eilimintí sa tionscadal a bheadh ina dhúshlán suimiúil chun mo chleachtadh ealaíne a fhorbairt. Bhí sceitimíní orm ach go háirithe faoin bhféidearthacht le damhsóirí gairmiúla agus damhsóirí nár roghnaigh sin mar ghairm a chomhtháthú i mo shaothar, agus mo chúlra sa damhsa agus sa gheografaíocht uirbeach a thabhairt le chéile. Agus daoine a roghnaigh an ealaín mar ghairm agus ealaíontóirí nár roghnaigh amhlaidh á gcomhtháthú agam den chéad uair i mo chuid saothair, bhí deis agam pailéad nua a fháil ó thaobh cúrsaí léiriúcháin agus córagrafaíochta. Shíl mé, trí mo chleachtas gairmiúil damhsa a lonnú i gcomhthéacs sóisialta, go bhfaighinn eispéiris agus eolas níos ilghnéithí freisin chun m'fhorbairt mar ealaíontóir gairmiúil a láidriú.

Tharla eilimint an léiriúcháin ina dhá chéim idir Deireadh Fómhair 2007 agus Aibreán 2008. Bhí réamh-cheardlanna ar siúl gach mí ó Dheireadh Fómhair go Nollaig. Chuaigh foireann RYS i dtaithí ar a mbeadh i gceist nuair a d'fhreastail siad ar léiriúchán a rinne compántas de mo chuid saothair. Bealach ab ea é seo le timpeallacht amharclainne a chur in aithne dóibh freisin. Bhí cleachtaí leis an bhfoireann iomlán ar siúl uair sa tseachtain i gCluain Dolcáin ó mhí Eanáir ar aghaidh. Roinneadh na damhsóirí óga ina dhá n-aoisghrúpa. Bhí cleachtaí ar siúl trí lá sa tseachtain do na damhsóirí gairmiúla. Bhí dhá dhianchúrsa seachtaine againn ag briseadh lár-téarma an Earraigh agus ag briseadh na Cásca, leis an trí léiriúchán phoiblí ag an deireadh in Amharclanna an Civic agus Axis i mí Aibreáin 2008.

Bhíothas ag díriú ar mhionsonraí a saoil laethúil sa saothar, agus cuid den spreagadh chuige sin ag teacht ó ráiteas an fhealsaimh Fhrancaigh, Francach Gaston Bachellard. "Tá eachtra beag i saol an linbh ina eachtra i ndomhan an linbh sin agus mar sin is eachtra domhanda é". *("Even a minor event in the life of a child is an event in that child's world and therefore a world event")* Ba é an choincheap ba bhunús leis an tionscadal ná léargas neamhlíneach a aimsiú ar an gcaidreamh idir daoine óga agus a dtimpeallacht áitiúil/uirbeach baile. Treoraíodh iad mar sin chun machnamh a dhéanamh ar a dtimpeallacht agus na smaointe sin a chur in iúl i saothar ealaíne neamhspleách. Chun tarraingt ar na caidrimh shuibiachtúla agus

mhothúchánacha leis an áit, agus bealaí a sholáthar chun ardmhianta a léiriú, thugamar réamheolas do na rannpháirtithe ar uirlisí ó réimsí éagsúla - na hamharcealaíona, síceolaíocht an chomhshaoil, ailtireacht tírdhreacha agus damhsa. Bhí sé d'aidhm againn an méid nach bhfeictear a thuilleadh, toisc go bhfuil an oiread cleachtadh air, a fheiceáil, agus dul thar réamhthuairimí agus steiréitíopaí faoi Chluain Dolcáin a raibh a chónaitheoirí óga ag glacadh leo cheana féin.

Baineadh úsáid as cleachtaí éagsúla chun cabhrú leo léarscáileanna meabhrach agus fisiciúla a tharraingt dá gceantar áitiúil, agus na turais a dhéanann siad go laethúil agus na háiteanna mar a gcrochann siad thart a rianú. D'ath-tharraing siad tírdhreacha áitiúla mar ab fhearr leo iad a fheiceáil. Bhí an-éagsúlacht sna torthaí, idir choiníní ollmhóra ag léim thart ar na piolóin leictreachais, agus duine ag samhlú go raibh brainsí Pennys agus McDonalds á n-oscailt in ionad siopadóireachta Bhaile Néill. D'iniúch siad léirshamhluithe treoraithe eile freisin, 'bríonglóid-dreacha' á sceitseáil agus á gcur in iúl le focail, agus píosaí closchumadóireachta d'fhuaimdhreacha áitiúla. Chum siad a leaganacha pearsanta féin den rann luath-óige faoi na rudaí as a ndéantar cailíní agus buachaillí agus d'imir siad 'searáidí faoi áit eachtrannach' freisin ina ndéantar cur síos ar ghnéithe amhairc den tírdhreach áitiúil agus iad á bhfeiceáil den chéad uair mar dhea. Rinne siad Fiona a 'choimisiúnú' chun a gcuid bailte, sráideanna agus scoileanna a tharraingt chomh maith. Ghríosaigh raon an ábhair shaibhir amhairc agus téacs próiseas na tobchumadóireachta fisiciúla agus na píosaí cumadóireachta. Chuaigh na mothúcháin a nochtadh i bhfeidhm ar an gcóragrafaíocht chomh maith. Nochtadh ceisteanna fíorbhunúsach i dtéamaí an léiriúcháin. San áireamh leo seo bhí: conas a fheiceann daoine óga iad féin, cé leis a bhraitheann siad ceangal, agus conas a naisc siad, nó nár naisc siad, iad féin lena dtimpeallacht áitiúil.

Tháinig iarmhairtí fíoréagsúil de thoradh na hoibre. Tríd an diminsean fisiciúil, tháinig na damhsóirí óga chun a bheith níos eolasaí ar bhealaí go bhféadfaidís na scálaí maireachtála difriúla a bhí acu a athshamhlú agus a chur in iúl. Tháinig siad chun a bheith ar an eolas ar gach rud, idir an spás maireachtála is dlúithe agus is indibhidiúla - an cholainn agus an timpeallacht a bhraitear leis na céadfaí - agus an spás maireachtála níos teibí a bhain le 'Cluain Dolcáin'. Chuir sé seo ar a gcumas cuimhneamh ar choincheap na háite agus a cónaitheoirí, cén bhrí a bhí ag Cluain Dolcáin dóibhsean agus cén caidreamh atá acu leis. Lena chois sin, forbraíodh caidrimh idir glúine de bharr an damhsa agus cairdis a tharla idir na damhsóirí óga agus na damhsóirí fásta de réir mar a roinn siad a gcuid scileanna sa damhsa sráide, sa damhsa Gaelach, sa ghleacaíocht agus sna maoróga. Bhí an léiriú ina

chailéideascóp, cuntas impriseanaíoch ar na taiscéalta éagsúla seo. Cé gur chomhlíon an tionscadal deiridh na haidhmeanna a luadh leis, bhí orainn srian éigin a chur leis an scóip a d'fhéadfadh a bheith aige. Tharla comhoibriú breise amháin nuair a choimisiúnaigh Oifig Ealaíon Chomhairle Contae Bhaile Átha Cliath Theas an t-ealaíontóir Joe Lee chun scannán léiriúcháin agus clár faisnéise gairid a dhéanamh faoin tionscadal. Cinntíodh leis seo go mbeidh fianaise ann don saothar agus leagáid aige chomh maith.

Léiríodh buarthaí ag pointe amháin go raibh an tionscadal ró-dheacair agus go raibh an iomad tiomantais agus dianoibre á iarraidh ar na daoine óga chun é a chomhlíonadh. Mar gheall ar na héilimh ollmhóra a bhíonn i gceist le gairm an damhsa, in éineacht leis an díograis a bhíonn ag damhsóirí dá ngairm, forbraíonn ealaíontóirí damhsa cumas féin-smachtaithe níos airde agus iad an-óg. Sa tionscadal seo, bhí na healaíontóirí óga i dtimpeallacht ina rabhthas ag súil go nglacfadh siad páirt chomh maith agus ab fhéidir leo agus ina rabhthas á gcothú agus á ngríosú chuige seo. D'éirigh leis an tionscadal agus bhí sin, a n-áthas agus a sástacht - agus áthas agus sástacht a dtuismitheoirí, ina fhianaise bhreá go raibh siad in ann ag an dúshlán.

Seirbhís Óige Bhaile Uí Rónáin

Tá sé mar aidhm ag Seirbhís Óige Bhaile Uí Rónáin tacú le seirbhís leathan a fhorbairt agus a chur ar fáil do na daoine óga ar fad i gceantar Chluain Dolcáin Thuaidh; trí thacaíocht, chomhairle agus chabhair a thabhairt le ceisteanna, agus trí chabhrú le grúpaí óige cúnamh a thabhairt do na daoine óga i réimse leathan gníomhaíochtaí agus deiseanna, lena n-áirítear grúpaí óige príomhshrutha a bhfuil gníomhaíochtaí sainspéise acu cosúil le gníomhaíochtaí allamuigh, na healaíona, spórt agus drámaíocht. Cuireann Seirbhís Óige Bhaile Uí Rónáin seirbhísí díreacha ar fáil do dhaoine óga imeallaithe, lena n-áirítear úsáideoirí drugaí, daoine óga gan dídean, Taistealaithe, tuismitheoirí atá ina ndéagóirí, luathfhágálaithe scoile, agus ógchiontóirí, agus spreagann sí forbairt grúpaí óga deonacha agus oibrithe deonacha, agus forbairt agus bainistíocht acmhainní i gcomhair daoine óga i gceantar Chluain Dolcáin Thuaidh.

Rhona Byrne

Home

Is comhoibriú é Home idir Rhona Byrne, ealaíontóir, agus baill de chlub cholúir frithinge/ rásaíochta Bhaile Mhunna, Baile Munna 2004

Is tionscadal é *Home* ar thug mé faoi i gcomhar le roinnt cónaitheoirí i mBaile Munna agus le club cholúir rásaíochta/frithinge Bhaile Munna in 2002 go dtí 2004. Go luath in 2002, bhí mé díreach ag filleadh ar mo chleachtas ealaíne tar éis roinnt blianta a chaitheamh ag obair mar theicneoir agus dearthóir ailtireachta. Le linn na tréimhse a chaith mé sa tionscal tógála mhéadaigh an spéis a bhí agam sa difríocht idir an fhéidearthacht a bhain le próiseas pleanála agus an méid a rinneadh i ndáiríre ar deireadh, agus go háirithe cén tionchar a bhí ag an bpróiseas seo ar dhaoine a bhí ina gcónaí in áiteanna a bhí á n-athrú. Ba é tionscadal *Home* an chéad léiriú ar mo staidéar leanúnach ar an gcaoi a dtéann an timpeallacht thógtha do dhaoine agus ar na sraitheanna céille a bhíonn fite fuaite in áiteanna. Bhí spéis agam chomh maith sa tábhacht, ó thaobh cúrsaí síceolaíochta, go mbeadh baint ag daoine leis an dúlra agus iad ina gcónaí i suíomh uirbeach.

Bhí ceithre bliana dá chlár athghiniúna ard-uaillmhianach caite ag Baile Munna faoi 2002, agus bhí baile nua le forbairt don limistéar seo de Bhaile Átha Cliath mar chuid de. Bhí aighneachtaí oscailte á n-iarraidh ó ealaíontóirí ag an am céanna don chlár Céatadán ar son na hEalaíne, ar a dtugtar 'Breaking Ground', chun obair a dhéanamh i mBaile Munna agus mórthimpeall air. Shíl mé go raibh sé seo ina ócáid fhoirfe chun roinnt de na téamaí thuas a iniúchadh.

Chuaigh mé i mbun tionscadal a dhearadh a raibh roinnt aidhmeanna agus cuspóirí ag baint leis. At dtús, bhí sé le bheith ina thionscadal ealaíne a mbeadh fíor-chomhoibriú agus fíor-rannpháirtíocht le cónaitheoirí Bhaile Munna i gceist leis. An dara príomhchuspóir ná go gcumasófaí comhrá dá bharr lena dtarraingeofaí aird ar roinnt de na buarthaí ar leith a bhí ag cónaitheoirí Bhaile Munna le linn na hidirthréimhse seo. Ar deireadh, trí phróiseas cruthaitheach, bhí comhoibriú le bheith i gceist le baill de chlub colúr Bhaile Munna, eagraíocht chomhphobail rathúil atá i mbun phórú agus rásaíocht na gcolúr frithinge ó 1974 i leith.

Creidiúint grianghrafadóireachta: Rhonda Byrne, Home

Tá sé deacair, gan anseo ach aiste ghearr, na mionsonraí pearsanta agus gairmiúla ar fad a bhí i gceist leis an obair ar *Home* a chur in iúl, chomh maith leis na bealaí ar fad a bhí siad fite fuaite lena chéile, ach tugtar tuairisc san aiste seo, go bunúsach, ar an tslí ar fhás an tionscadal agus ar fíoraíodh é. Trí thréimhse taighde d'fhoghlaim mé go raibh sé ina ghnáthchleachtas ag cónaitheoirí áiléir a choimeád do cholúir ar bhalcóiní na n-árasán agus go raibh a chlub colúr féin ag Baile Munna a bhí suite ar urlár na talún i mbloc árasán *Shangan* ó thús na 1970í. Chuaigh mé i dteagmháil le Tommy Nelson, rúnaí an chlub seo. Ba léir go raibh imní ar bhaill an chlub maidir le clubtheach nua a bheith dáilte orthu mar chuid den scéim athghiniúna. Domsa, tháinig sé chun a bheith ina spreagadh tábhachtach le próiseas cruthaitheach a fhorbairt a d'fhágfadh go mbeadh an club níos infheicthe agus lena gcuirfí a mbuarthaí in iúl, agus an nasc atá ann cheana féin idir an club agus an pobal áitiúil a neartú ag an am céanna.

In imeacht na n-ocht mí dhéag ina dhiaidh sin, chuaigh mé i mbun próisis idirphlé le cuid de chónaitheoirí Bhaile Munna agus de bhaill an chlub colúr chun féachaint leis na mothúcháin a bhí ag daoine faoi athghiniúint an cheantair seo a fhiosrú. Thosaigh mé ag tabhairt cuairte ar an gclub colúr ar oícheanta Aoine nuair a thagann an club le chéile agus lean an próiseas seo ar aghaidh ar feadh cúpla mí agus mé ag caitheamh m'oícheanta Aoine ag an gclub colúr, ag cur aithne ar bhaill an chlub agus ag déanamh staidéir ar shaol na rásaíochta colúr. Ní raibh sé i gceist agam smaoineamh le haghaidh tionscadail a chur ar na daoine. Domsa, is éard a bhí sa phróiseas seo ná taighde agus taiscéalaíocht araon, faoin gcaoi a d'fhéadfadh an tionscadal tarlú agus faoi bhealach le caidrimh a fhorbairt le féachaint arbh fhéidir go n-oibreodh sé. Theastaigh uaim go mbeadh sé seo in a thuras comhoibritheach. Bhain mé úsáid as grianghrafadóireacht le linn mo staidéar ar fad chun an idirghníomhaíocht seo a thaifeadadh go físeach. Thug mé cuairt ar chuid de bhaill an chlub sa bhaile ar bhonn aonair. Shíl mé gur deis úsáideach a bhí ann leis an bhfáth go raibh spéis agam sa tionscadal seo mar ealaíontóir a mhíniú agus comhchuspóir agus comhthuiscint a fhorbairt chomh maith, a mbeadh brí níos mó ag baint leis, bhí súil agam. Bhí sé suimiúil chomh maith an tógáil DFÉ (déan féin é) a bhí i gceist lena n-áiléir colúr a fheiceáil agus éisteacht leo faoin tiomantas pearsanta don spórt casta seo.

Níor éirigh leis an iarratas ar mhaoiniú a chur mé chuig Breaking Ground. Ag féachaint siar anois dom, ní haon ionadh é sin. Bhí mé tar éis tionscadal uaillmhianach agus an-chostasach a mholadh go saonta a raibh clár faisnéise teilifíse le bheith i gceist leis chomh maith le hócáid ollmhór craolta ar an teilifís, taispeántas taistil agus leabhar olltáirgthe. Bheartaigh mé go leanfainn ar aghaidh

leis an tionscadal ar aon nós, agus leis an iomaí inlíochtaí agus léirithe a bhí i gceist leis an tionscadal tháinig sé chun a bheith ina chuar foghlama mór dom, agus faighim eolas uaidh fós do mo thionscadail ealaíne. Cé gur choinnigh mé struchtúr bunúsach an choincheapa, bhí orm a bheith i bhfad níos ildánaí ó thaobh thorthaí an tionscadail agus maoiniú a fhoinsiú. Rud fíorthábhachtach ná gur éirigh anfráma ama don tionscadal i bhfad níos faide, rud a d'fhág rabhthas in ann idirphlé níos cuimsithí agus níos críochnúla a dhéanamh faoin tionscadal.

Tá séasúr na rásaíochta colúr idir mí Aibreáin agus Mheán Fómhair, mar sin i ndiaidh mí Mheán Fómhair bhí sos inár gcruinnithe seachtainiúla. Thug an spás seo an deis dom mo ról sa phróiseas seo a cheistiú, an cheist a chur orm féin *'Cén fáth a raibh sé seo á dhéanamh agam? An raibh mé ag iarraidh a bheith i m'eadránaí sóisialta? Conas a bhain an taighde sóisialta seo le mo chleachtas ealaíne? Ar theastaigh ón gclub go mbeinn ann i ndáiríre?* Ag féachaint siar ar an tionscadal seo dom, feicim an tábhacht a bhain leis an am agus an spás a thabhairt don tionscadal teacht chun cinn go nádúrtha. Tuigim anois go bhfuil sé ríthábhachtach plean ama a bheith leagtha amach do thionscadal agus gur gá a lán ama a dháileadh le haghaidh cumarsáide. Braitheann modhanna oibre comhoibritheacha ar mhuinín agus tógann sé roinnt ama chun an mhuinín seo a mhéadú.

Ba é comhchuspóir an tionscadail ná ócáid a chruthú, lena gceanglófaí mianta scríofa ó na cónaitheoirí áitiúla le cosa cholúir frithinge an chlub mar chuid de agus lena scaoilfí iad ó bhalcóiní na n-árasán. Tharraingeodh an ócáid aird lucht féachana níos leithne ar an gclub agus ar a chuid gníomhaíochtaí den chéad uair agus spreagfadh sé roinnt daoine níos óige le teacht isteach sa chlub, rud a chuirfeadh an gá le clubtheach nua chun suntais.

Thosaigh an séasúr rásaíochta colúr arís. Aibreán 2003 a bhí ann anois. Má bhí ócáid an tionscadail le dul ar aghaidh níor mhór dó tarlú le linn an tséasúir seo nó bheadh orainn fanacht ar feadh bliana eile. D'ullmhaigh mé pacáistí faisnéise le dáileadh ar na cónaitheoirí, ina raibh faisnéis ar chúlra an tionscadail chomh maith le clúdach litreach beag ina raibh píosaí páipéir chun mianta a scríobh orthu agus roinnt ceisteanna a raibh sé i gceist leo freagairtí oscailte, indibhidiúla do thréimhse seo na n-athruithe, a fháil.

Chuaigh mé féin agus triúr déagóir mná ó árasáin *Shangan* ag cnagadh ar dhoirse na ndaoine, ag insint do dhaoine faoin tionscadal agus ag fágáil na bpacáistí faisnéise acu, a bhaileofaí níos déanaí. Bhí gotha nó spás beag á thairiscint againn go gcuirfeadh an duine aonair é féin in iúl laistigh den tionscadal athghiniúna níos mó. Ghlac daoine leis an tionscadal le fonn agus thug siad a lán dá gcuid ama dó.

Faoin am seo bhí a lán rannpháirtithe againn sa tionscadal. Chun an tionscadal a thabhairt ar aghaidh chuig an gcéad chéim eile fuaireamar maoiniú ó roinnt foinsí lasmuigh de ghnáthstruchtúir mhaoinithe na n-ealaíon. Rinneamar fógraíocht faoin tionscadal trí phreasráitis a chur amach chuig an bpreas áitiúil agus póstaeir a chur suas i siopaí áitiúla. Ar an maidin a bhí na colúir le saoradh, bhí an club colúr lán le leanaí áitiúla a bhí fiosrach agus ag iarraidh a fheiceáil conas a cheanglófaí a gcuid mianta de chosa na gcolúr. De réir mar a bhí na mianta á gceangal againn léamar os ard iad, mianta ar nós *'I wish for a community where people could get along for the sake of the children as they grow up.* And for all the drug dealing to stop'. Rinneadh na colúir a phacáil isteach ina gciseáin go cúramach agus tógadh suas chuig balcóiní gach ceann de na bloic árasán seacht stór. Tháinig grúpa mór daoine amach ar an bhfaiche thíos faoi agus iad ag scairteadh: *'Let them fly high!'* Scaoileadh na colúir ar fad ag an am céanna. D'eitil siad i gciorcal san aer os ár gcionn, sular eitil siad chuig a mbailte a bhí laistigh de 5 mhíle ón gclub.

Trí na mianta seo a thaifeadadh agus a shaoradh theastaigh uaim éascú le próiseas lena gcuirfí mothúcháin chomhphobail in iúl agus athruithe móra ar siúl dóibh ó thaobh cúrsaí geografacha agus mothúchán, agus éascú le daoine a thabhairt le chéile chun comhfhreagairt a chruthú. B'fhíor-chorraitheach aeistéitic amhairc na n-ealta éan agus iad ag eitilt tríd an aer go ciúin, agus mianta na ndaoine thíos futhu ar iompar acu. I mo thuairimse, thug an t-eispéireas seo socracht agus dóchas comhchoiteann éigin don todhchaí.

Rinne seisear cairde cineálta liom an ócáid a thaifeadadh ar fhíseán. Taispeánadh an scannán níos déanaí ag taispeántas in Ionad Ealaíon an Axis i mBaile Munna, chomh maith le grianghraif agus foilseachán duaisbhuaiteach, agus cuntas ar an tionscadal agus ar an bpróiseas a bhí i gceist leis le fáil i ngach aon cheann acu. Bhí sé d'aidhm ag an taispeántas próiseas ár gcomhoibrithe a chur i láthair, é a chur in iúl agus go ndéanfaí machnamh air leis. Shíl mé go raibh oíche a oscailte ina chomhchreat rathúil a thug ár gcomhoibriú chuig críoch nádúrtha. Bhí ceant colúr óg ag an gclub colúr in Ionad Ealaíon an Axis, agus tháinig lucht ceannaithe colúr ó mhórcheantar Bhaile Átha Cliath chun colúir óga a cheannach le haghaidh a bpóraithe. Bhí idir dhaoine agus spéiseanna fite fuaite lena chéile agus d'fhág sin gur cuireadh an tionscadal i láthair mar thionscadal comhoibritheach lenar cuimsíodh ár spéiseanna go cothrom. Taispeánadh an físeán de Home in áiléar colúr sa ghailearaí agus cuireadh an t-áiléar ar ceant níos déanaí an oíche sin. Chruinnigh an club €3000 an oíche sin, agus ba chomhtharlú gurbh é sin an méid céanna a fuaireamar ón gComhairle Ealaíon faoi Scéim an Ealaíontóra sa Phobal chun 'sciatháin' a thabhairt lenar dtionscadal.

Dar ndóigh, tá an taithí a fuair mé ag obair ar an tionscadal seo tar éis dul i gcion go mór ar mo chleachtas ealaíne go dtí seo. Ba é seo an chéad thionscadal ar thug mé faoi i gcomhthéacs comhphobail agus d'oscail sé cleachtas iomlán nua dom mar ealaíontóir agus bealach nua oibre dom laistigh den réimse poiblí. Is iad torthaí inbhraite an tionscadail seo ná na dámhachtainí a bhuaigh an foilseachán *Home* lena n-áirítear gradamóir ICAD (Irish Creative Advertising and Design) in 2004. Bhí sé ina ionadaí ar son na hÉireann sna dámhachtainí ACDE Art Directors Club Europe 2004, agus bhuaigh sé gradam phrionta na hÉireann (Irish print award) arna priontáil ag Wood Print Craft in 2004 chomh maith.

Agus ansin tá colúr ann darb ainm Rhona a bhuaigh rás colúr in 2004 ó Éirinn go dtí an Fhrainc.

Bun-nóta

1. Fuair an tionscadal tacaíocht ó dhámhachtain Chomhairle Cathrach Bhaile Átha Cliath le haghaidh tionscadal pobail, roinnt gnóthaí atá lonnaithe i mBaile Munna, seirbhísí miondíola Musgrave, maoin Lisney agus Sika Ireland. Fuair an tionscadal tacaíocht fhlaithiúil ó mhórán daoine, lena n-áirítear Dermott Byrne ó Speedi Snaps, a phriontáil mo chuid grianghraf le linn an tionscadail ar fad. Fuair dearadh an fhoilseacháin tacaíocht fhlaithiúil ó Atelier David Smith agus Oran Day. Bhí páirt lárnach ag an doiciméad seo ó thaobh leagáid a chruthú don tionscadal seo.

The Ballymun Homing Pigeon Club (Club Colúr Frithinge Bhaile Munna)

Tá Club Colúr Bhaile Munna ar an saol ó 1974 i leith. Tá áitreabh aige faoi láthair ag B56, B57 Bóthar na Seangán, Baile Munna. Tá 32 comhalta sa chlub. Tá an Club Colúr creidiúnaithe sa chéad ocht san Irish South Road Pigeon Federation (ISRPF). Reáchtálann Club Colúr Bhaile Munna ócáidí sóisialta agus tiomsaithe airgid go rialta ar nós seónna colúr agus ceantanna bliantúla. Is é Tommy Nelson rúnaí an Chlub.

Declan Gorman

Zoo Station

Cuntas ar an gcomhoibriú idir Declan Gorman, drámadóir, agus baill de Mhacra na Feirme, Tearmann Feichín, Contae Lú, 2001

Is eagraíocht náisiúnta í Macra na Feirme, a bunaíodh os cionn seasca bliain ó shin, a chuireann deiseanna sóisialta agus caithimh aimsire ar fáil d'aosaigh óga faoin tuath in Éirinn. Freastalaíonn brainse Thearmann Feichín ar dhaoine ó cheantar leathan i ndeisceart Chontae Lú. Sula raibh baint agam leo, bhí an club áitiúil tar éis taithí agus próifíl shuntasach a chruthú, trí rannpháirtíocht ar feadh breis agus daichead bliain san óráidíocht phoiblí; díospóireacht agus comórtais dráma aonghnímh.

Mar sin bhí sé soiléir go raibh an grúpa pobail sa chomhoibriú áirithe seo thar a bheith spreagtha agus dea-eagraithe. Chuir sé seo ar ár gcumas leibhéal tarmligin agus turgnaimh ealaíne frithpháirteach a bhaint amach a bhí i bhfad níos fearr ná d'fhéadfadh a bheith i gceist le grúpa nach mbeadh an taithí seo acu nó grúpa a bheadh faoi mhíbhuntáiste sóisialta. Dár ndóigh bhí dúshláin folaithe i gceist áfach arbh éigean a shárú. Nílim ag tabhairt le tuiscint ach oiread nach bhféadfadh grúpaí eile an leibhéal céanna a bhaint amach is a bhain grúpa Thearmann Feichín dá bhfaighidís am agus oiliúint. Nílim ach ag aithint go bhfuil an comhoibriú le Macra Thearmann Feichín in 2001 agus an dráma, *Zoo Station*, a tháinig dá thoradh, ar cheann de bhuaicphointí mo chuid éachtaí féin mar ealaíontóir pobail - agus níor tharla sé de bharr go raibh an t-ádh dearg orm leis ná de bharr bua de mo chuid féin, ach toisc go raibh an grúpa seo réidh don dúshlán.

Faoi 2001, bhí Macra Thearmann Feichín tar éis dhá bhliain a chaitheamh ag obair i gcomhpháirtíocht chomhoibríoch leis an Upstage Theatre Project, saineagraíocht taibh-ealaíon atá lonnaithe gar dóibh i nDroichead Átha. D'oibrigh mé le cuid de na rannpháirtithe ar thionscadal roimhe sin freisin.

Mar sin, insíonn an aiste seo scéal faoi mhúnla ealaíne pobail ar ardleibhéal. Ach ní thagann ealaíontóir ná grúpa daoine aonair ar bith isteach i dtionscadal rannpháirteach agus iad réidh le tosú, cibé buntáistí soiléire a thugann siad leo. Is fearr *Zoo Station* a mheas mar sin i gcomhthéacs chaidreamh iomlán na gcúig bliana idir grúpa Thearmann Feichín agus Upstate.

An chéad lá a ndeachaigh mé le mo chomhghleacaí Declan Mallon chun ceardlann aonuaire a reáchtáil sa halla tuaithe áitiúil, bhí fear óg cúthaileach amháin ina shuí ar chúl ann agus dhiúltaigh sé, go béasach, páirt a ghlacadh inti ar dtús. Rinneadh uachtarán náisiúnta ar an eagraíocht de tamall ina dhiaidh sin. Cé go raibh an taithí a bhí acu ag léiriú drámaí 'díreach ón tseilf' sna comórtais aonghnímh ina cúis mórtais don ghrúpa, níorbh ullmhúchán idéalach a bhí ann do na dúshláin nua a bhain leis an tobchumadóireacht agus le dráma a cheapadh. Ba 'ghrúpa maith' é áfach agus chuir an spás a chuir siad ar fáil, trí bheith oscailte agus réidh le hoibriú ar ardleibhéal, ar mo chumas mo mhodhanna féin, a bhí ag teacht chun cinn, a bhrú amach agus a chomhdhlúthú ar bhealach praiticiúil agus anois bainim úsáid as na modhanna seo le gach cineál grúpaí ar go leor leibhéal éagsúil.

Thosaigh an caidreamh idir Upstate Theatre Project agus Macra Thearmann Feichín i 1999. Gan dabht tá sé ina chabhair do ghrúpa pobail, a dteastaíonn uaidh cumas ealaíon a fhorbairt, má bhíonn siad in ann teacht ar acmhainn atá tugtha do na healaíona agus dóibh sin amháin, is cuma cibé ionad ealaíon áitiúil, dámh ollscoile nó áis for-rochtana de chuid eagraíochta léiriúcháin a bhíonn i gceist. I gcás Upstate, bhí an compántas tugtha don taighde gníomhach i réimse na Drámaíochta "a bhaineann leis an bpobal", mar sin bhí tairbhe mhór le baint ag an dá pháirtí as an gcomhpháirtíocht. Ón tús, bhí beirt oibrí ghairmiúla sa seomra i gcónaí. Bhí ról solúbtha an Éascaitheora ag mo chomhghleacaí Declan Mallon, agus sa chás seo, ní hamháin go mbíodh sé i dteagmháil leis na rannpháirtithe faoi chúrsaí nár bhain leis an saothar ealaíne ach d'imir sé ról criticiúil freisin - threoraigh sé cluichí, réamhchleachtaí agus fiú cleachtaí tobchumadóireachta. Chomh maith leis sin bhí sé freagrach, in éineacht liom féin, as insint an scéil a fhorbairt go ginearálta de réir mar a bhog an próiseas ar aghaidh i dtreo léiriúcháin. Bhí sé fíoriontach amach is amach páirtí chomh hildánach sin a bheith sa seomra céanna liom, rud nach dtarlaíonn go minic sa réimse seo oibre. Ba é an ról a bhí agam ná tobchumadóireacht níos fócasaithe a threorú; chomh maith le cleachtaí scéalaíochta agus obair scríbhneoireachta cruthaithí, arbh í an aidhm a bhí i gceist leo agus ar ar díríodh níos mó de réir mar a chuaigh na míonna ar aghaidh, ar dhráma a bheith againn faoi dheireadh. Le himeacht aimsire, rinneadh stiúrthóir léiriúcháin de réir a chéile díom, seachas scríbhneoir cónaithe, is tharla an próiseas sin gan mórán de dhris chosáin.

Inár gcéad shéasúr leis an ngrúpa, leagamar amach sprioc tosaigh nach mbeadh i gceist leis ach sé sheisiún sheachtainiúla. Is éard a bhí le bheith i gceist sna seachtainí seo ná go rachfaimis i dtaithí ar a chéile; go dtástálfaí freagairtí na mball don fhoirm ealaíne, do na modheolaíochtaí agus do na dúshláin a bhaineann le cluichí amaideacha a imirt i measc a gcomharsan féin agus mar sin de. Chuireamar an riail shimplí i bhfeidhm gurb é atá i gceist leis an ndrámaíocht ná siamsaíocht, agus gurb é an duine a fhanann siar agus a dhiúltaíonn triail a bhaint as an amaidí, a sheasann amach mar éan corr. D'oibrigh sé seo go han-mhaith go dtí tráthnóna Domhnaigh amháin nuair ba léir go raibh beirt fheirmeoirí mheánaosta nach raibh aon spéis acu sa dráma iad féin ag féachaint isteach an fhuinneog ar na rannpháirtithe agus iad ag damhsa timpeall agus á dtreorú ag balúin héiliam, mar dhea. Dhúnamar na cuirtíní agus tháinig muid chugainn féin.

Ag deireadh na sé seachtaine, chuir na rannpháirtithe dráma tobchumtha 15 nóiméad le chéile sa halla - ach gan lucht féachana, ní raibh ann ach an ceamara á thaifeadadh. Dráma teaghlaigh a bhí ann, lonnaithe in 1957, an bhliain a bhain Co. Lú cáil amach nuair a bhuaigh sé craobh peile na hÉireann. Sa mheasúnú a rinneadh tar éis an dianséasúir ghearr 'píolótaigh' seo, aontaíodh d'aon ghuth go raibh na modhanna go maith, gurbh fhiú leanúint ar aghaidh leis an tionscadal ach gur chóir go mbeadh na téamaí agus an t-ábhar níos comhaimseartha. D'oibríomar ar feadh roinnt míonna in 1999 ansin, agus chruthaíomar dráma iomlán faoi Bhainis nua-aoiseach den sórt is measa dá samhlófaí, dar teideal *"Tunnel of Love"*. Ansin in 2000, lorg agus fuair an grúpa deontas faoi Scéim an Ealaíontóra sa Phobal chun mé a fhostú an athuair do thionscadal ar leibhéal níos airde, leis na ngrúpa rannpháirtithe céanna, a bheag nó a mhór.

I rith na dtionscadal *Tunnel of Love* agus *Zoo Station*, sheas na bunphrionsabail chéanna, a rinneamar a thástáil sna chéad sé seachtaine, an fód:

- aclaíocht fhisiciúil mar réamhchleachtadh le haghaidh gach seisiúin, chomh maith leis na cinn sin nach raibh i gceist leo ach obair intinne nó scríofa;
- tobchumadóireacht le chéile agus cúrsaí a phlé i ngrúpa ó am go chéile mar an pointe tosaigh do gach smaoineamh;
- an chuimsitheacht agus cineáltas i dtreo is gur éirigh na daoine nach raibh mórán féinmhuiníne acu compordach agus ábalta smaointe a nochtadh.

Ceann de na rudaí a bhí do mo ghríosú ná an dúshlán le haestéitidil le haghaidh chur chuige i leith na drámaíochta a thabhairt chun a sainmhínithe go críochnúil

agus seilbh a ghlacadh uirthi. Ta moladh faighte ag an aestéitidil sin (ó roinnt daoine ar aon nós) dá luachanna sóisialta, oideachais agus sibhialta, ach ní bhfuair riamh go fóill maidir le foirm; leagan cainte; stáitsiú; struchtúr agus mar sin de. Is rómhinic gur beag spéis a bhí ag léirmheastóirí, agus go deimhin lucht maoinithe na n-ealaíon, i ndrámaí pobail, agus is beag eile a bhí i gceist leis na drámaí dar leo seachas cleachtaí i dteiripe shocheacnamaíoch. Ó thaobh na healaíne de, maíodh, toisc go raibh níos mó ná údar amháin i gceist agus 'gur gá páirteanna comhionanna a thairiscint' do rannpháirtithe ar neamhaird dá gcumas nó gan tagairt do na 'rialacha' a fheictear a bheith i gceist leis an struchtúr drámatúil, gur rud dosheachanta a bhí ann nárbh fhéidir le dráma pobail caighdeán miotasach ar a dtugtar "Ealaín Mhaith" a bhaint amach riamh.

Bhí Gerhart Hauptmann ar dhuine de na daoine a chuaigh i gcion ormsa mar ealaíontóir agus bhí mé tar éis a shárshaothar Nádúrachais *The Weavers*, a stiúradh le haghaidh Upstate Live le déanaí. Tá caibidil i léirmheas acadúil deifnídeach ar an drámadóir seo ón naoú haois déag dar teideal "The Community as Hero". Agus, cé go ndeachaigh siad as faisean, céard faoi lucht na nEispriseanaíoch agus Bertolt Brecht agus Joan Littlewood agus Ewan McColl agus Peter Weiss lena leaganacha éagsúla de chomhsheónna glóracha, paiseanta drámaíochta? Céard faoi na tionchair allmhairithe seo a nascadh le traidisiún dúchasach, saibhir na scéalaíochta cois tine faoin tuath in Éirinn, ach cuma snasta, níos nua-aimseartha air le téamaí ón lá atá inniu ann; amharc-íomhánna spraíúla agus - mar a nochtaítear le teidil na ndrámaí - fuaimrianta coitianta.

Seachtain i ndiaidh seachtaine, d'fhéachamar ar théamaí ón am agus an áit ina gcónaímid anois: baile beag traidisiúnta i ngar do Bhaile Átha Cliath mar shatailít dórtúir nua; saol craiceáilte na hoibre agus na comaitéireachta; toircheas gan iarraidh i ré na frithghiniúna éasca; saincheist na mídhílseachta (rogha arb ait gur breá leis an ngrúpa daoine óga sin é agus cuma chomh hionraic orthu!) agus mar sin de. Thug duine éigin CD le Bentley Rhythm Ace dom. Ghlacamar buille spraíúil siabhránach an CD sin mar fhuaimrian ár bpróisis tobchumadóireachta damhsa agus gluaiseachta. Traein plódaithe a bhí ionainn; stáisiún lán de dhaoine ag rith ar mire; zú daoine ina raibh duine éigin tar éis glas a bhaint de na cásanna. Lá amháin shéid mé feadóg. Stop an traein shamhailteach go tobann i lár na Mí le féachaint cad a tharlódh agus ba é uathfhreagra na n-aisteoirí ná a bhfóin phóca a fháil láithreach. "Tá brón orm a stór, beidh mé déanach ag teacht abhaile"; "Tar anseo chun mé a bhailiú, Ma!" agus mar sin de. Thógamar íomhánna agus atmaisféir, ceann anuas ar a chéile.

Ag an am céanna, phléamar scéalta daonna i gcleachtaí a raibh grúpaí beaga agus móra i gceist leo. Agus de réir a chéile chuireamar dráma eipeasóideach comhtháite le chéile - sea- le gnéithe den sobalchlár ann, ach ardaithe uaidh sin le draíocht na drámaíochta amhairc - píosaí móra an seit mar an traein agus an stáisiún mór agus mar sin de; agus ansin aistríodh a thuilleadh é le deireadh eiseach ina bhfaigheann an máistir stáisiún bás ar an lá deiridh dó ag obair, ach tugann tabló gluaisteach cuairt air, ar chosúil air gur mórshiúl na gcéadta comaitéirí brónacha atá ann agus sos á ghlacadh acu le comhbhrón agus dobhrón a dhéanamh.

Léiríodh an dráma in Ionad Ealaíon Dhroichead Átha, cúpla míle ó shráidbhaile Thearmann Feichín. Rinneamar maoiniú breise a thiomsú agus d'fhostaíomar an dearthóir seit Paul O Mahony, a raibh gealladh faoi (agus atá cáiliúil anois), chun seit mór de cholúin stáisiún traenach a thógáil. Bhí na ticéid go léir díolta ar feadh trí oíche agus mar a dúirt John Leech, an ball is mó taithí den ghrúpa: "Chuamar i gcion ar roinnt daoine. Bhí an pobal go léir ag caint faoi".

Rinne Declan Mallon measúnú críochnúil agus lean mé ar aghaidh an bhliain ina dhiaidh chun tionscadal amháin eile, níos lú, a dhéanamh leis an ngrúpa, sular fhágamar uile slán ag a chéile ar deireadh. Rinneadh athléiriú ar *Zoo Station* agus bhí sé ar an gcéad phíosa Drámaíochta Pobail riamh a bhí mar chuid den Dublin Fringe Festival, agus fuair sé léirmheas iontach le ceithre réalta san Irish Times. Bhí mé féin agus Declan Mallon inár gcomh-údair agus inár gcomh-eagarthóirí ar leabhar dar teideal *Way Out in the Country* (le fáil ó Upstate), lena léirítear an t-eispéireas le Macra, agus ina bhfuil machnamh ar aeistéitic an dráma phobail agus script *Zoo Station* chomh maith le dhá dhráma eile a scríobh Macra le chéile le linn na tréimhse sin.

Tá *Zoo Station* fós ar cheann de bhuaicphointí mo ghairmréime féin. Ina dhiaidh sin d'fhorbair mé modúl Máistir-ranga ar an gComh-Scríbhneoireacht agus an Comh-Cheapadh don Drámaíocht Phobail, rud a mhúinim do mhic léinn idirnáisiúnta iarchéime in Ollscoil Nua Eabhrac, bunaithe don chuid is mó ar an méid a d'fhoghlaim mé féin agus lucht Macra sa bhliain sin. In 2009, tá súil ag Upstate Theatre Project an máistir-rang seo a chur in oiriúint go mbeidh sé ina chlár oiliúna oscailte, modúlach d'ealaíontóirí agus gníomhaithe pobail na hÉireann.

An méid seo ar fad ó dheontas amháin don Ealaíontóir sa Phobal! Is é an t-aon rud atá ina ábhar díomá ná go bhfuil an maoiniú foriomlán don Scéim fós chomh docht agus nach bhfuil níos mó deontas ar fáil. Dúirt rannpháirtí i dtionscadal a bhí ar siúl

le déanaí liom, "Samhlaigh dá mbeadh tionscadal mar seo i ngach baile fearainn nó paróiste in Éirinn, agus gach ceann acu ag insint a scéil féin". Samhlaigh go deimhin!

Is féidir sliocht cúig nóiméad ón scannán faisnéise deisce, Shadows on our Doors, le Upstate Theatre 2003, lena léirítear an t-eispéireas le Macra Thearmann Feichín, a fheiceáil ar www.upstate.ie.

Macra na Feirme

Is eagraíocht dheonach le haghaidh daoine óga idir 17 agus 35 é Macra na Feirme. Tá an eagraíocht comhdhéanta as líonra de chlubanna ar fud na hÉireann, agus tá sé phríomhréimse gníomhaíochta aici: talmhaíocht, spórt, taisteal, óráidíocht phoiblí, páirtíocht sa phobal agus na taibhealaíona. Tá Macra na Feirme tiomanta d'fhorbairt phearsanta a chuid comhaltaí agus cuireann sé béim ar idirghníomhaíocht shóisialta agus ar rannpháirteachas.

Ba i 1948 a bunaíodh an chraobh áitiúil de Mhacra na Feirme i dTearmann Feichín agus tá sé ar cheann de na clubanna Mhacra is sine sa tír. Tá an club bródúil as a bheith ina chuid den phobal agus as an gclár iomlán agus gníomhach a chuireann sé ar fáil d'fhonn forbairt a chomhaltaí a spreagadh agus chun a bheith tarraingteach do na glúine nua atá ag teacht aníos. Tá cáil thar na bearta ar Mhacra Thearmann Feichín laistigh den líonra náisiúnta de chlubanna Mhacra, go háirithe as ucht a rathúlacht i gcomórtais Óráidíochta Poiblí agus Drámaíochta. Bhí deiseanna taistil ag comhaltaí a thug iad go dtí an Rúis, an Ghearmáin, an Eilvéis, an Ostair, an tSeapáin agus Meiriceá Thuaidh, i measc áiteanna eile. Bhí comhoibriú idir an club agus Upstate Theatre Project ó 1999 go dtí 2004 agus mar thoradh air sin léiríodh 3 dhráma suntasacha agus foilsíodh díolaim scripteanna agus aistí.

Beathaisnéisí Ealaíontóirí

Rhona Byrne

Is amharcealaíontóir í Rhona Byrne, a oibríonn le suiteáil, dealbhóireacht, meáin mheasctha, agus grianghrafadóireacht. Bhain sí céim onórach BFA (Baitsiléir Ealaíon sa Mhínealaín) i nDealbhóireacht amach ón gColáiste Náisiúnta Ealaíne is Deartha i 1994. Is i mBaile Átha Cliath, Éire, a chónaíonn agus a oibríonn sí faoi láthair. Déanann Rhona nithe, suiteálacha a bhíonn suíomhoiriúnaithe, i ngailearaithe agus bunaithe ar chomhthéacs, scannáin, foilseacháin agus tionscadail chomhoibritheacha bunaithe ar eachtraí agus a dhíríonn ar an idiroibriú idir daoine agus a dtimpeallacht ag an macraileibhéal agus an micrileibhéal araon. Bhí Rhona páirteach i gcónaitheachtaí agus bhí taispeántais aici go fairsing in Éire, san Ostair, sa Ríocht Aontaithe, i Seirbia, sa Ghearmáin, sa Pholainn agus sa tSín. Tá a cuid oibre coimisiúnaithe ag Comhairle Cathrach Bhaile Átha Cliath, Oifig na nOibreacha Poiblí, agus Comhairle Cathrach Chorcaí, agus fuair sí tacaíocht ón gComhairle Ealaíon na hÉireann.

Susan Gogan

Is ealaíontóir í Susan Gogan a oibríonn go príomha i ngrianghrafadóireacht, agus faoi láthair tá a cleachtas á leathnú aici chun íomhá ghluaiste a chur san áireamh. Is éard a spreagann a cuid oibre ná fonn chun ár gcleachtas spásúil laethúil a thuiscint agus an 'tríú' bealach a léiriú chun tabhairt faoi mhachnamh ar spás, ag iniúchadh spás 'réadúil' agus spás 'samhalta' agus ag forbairt coincheapa nua maidir leo. Tá tionchar nach beag ag Cineama ar a cuid oibre, a bhfuil sraith píosaí grianghrafadóireachta ardscála lárnach inti go dtí seo, agus a shroich buaic sna hoibreacha comhoibritheacha dar teideal *Opening Doors*. Tá sí i mbun moll oibre d'íomhánna gluaiste a chur le chéile anois.

Thosaigh oideachas foirmiúil Susan i ngrianghrafadóireacht i 1995 ag City College, San Francisco. Ansin rinne sí staidéar san Institiúid Ealaíne, Deartha agus Teicneolaíochta, Dún Laoghaire, agus ina dhiaidh sin fuair sí BA ó Institiúid Teicneolaíochta Bhaile Átha Cliath in 2002. Bhí taispeántais ag Susan sna Stáit Aontaithe, san Astráil agus ar fud na hÉireann. Is i mBaile Átha Cliath a chónaíonn agus a oibríonn sí.

Declan Gorman

Is drámadóir agus stiúrthóir drámaí é Declan Gorman agus cúlra aige i gcleachtas agus i mbeartas ealaíne a bhaineann leis an bpobal. Is Stiúrthóir Ealaíne Comhlach é faoi láthair le Upstate Theatre Project, Droichead Átha (www.upstate.ie) agus tá sé mar Chathaoirleach ar Lárionad Ealaíon na Cathrach (City Arts), Baile Átha Cliath. Roimhe sin bhí sé ina aisteoir agus ina léiritheoir le Co-Motion Theatre Company (1985 – '90); Oifigeach Forbartha agus Cláraitheoir Téatair i Lárionad Ealaíon na Cathrach (1990 – '95) agus Comhordaitheoir ar an Athbhreithniú ar an Téatar in Éirinn de chuid na Comhairle Ealaíon (1995-'96). Bhí sé ina bhall de bhoird agus choistí éagsúla, ina measc mar chathaoirleach ar ghrúpa oibre oideachas for-rochtana Amharclann na Mainistreach, agus coiste taighde na Comhairle Ealaíon um na hEalaíona Rannpháirteachais. Treoraíonn sé máistir-rang bliantúil i ndrámadóireacht phobail do chlár Staidéar Thar Lear an New York University Steinhardt School. Fuair a dhráma Hades, atá ina chuid dá Border Chronicles Trilogy 1997 – 2007, duais Stewart Parker sa bhliain 1999.

Ríonach Ní Néill

Is damhsóir comhaimseartha agus córagrafaí í Ríonach Ní Néill agus is as Baile Átha Cliath í ó dhúchas. In Éirinn, d'oibrigh sí le Rex Levitates Dance Co, Catapult Dance Co, Corp Feasa, Finola Cronin agus Daghdha Dance Company. Bhí sí ina comhalta de Tanztheater Bremen, an compántas amharclann damhsa is sine sa Ghearmáin, ó 2002 go dtí 2006. Bhunaigh sí a compántas Ciotóg in 2006 agus i measc a coragrafaíochtaí tá *A Thing of Beauty & A Joy Forever, How did we get Here?, Between Earth, Sky & Home,* agus *Palimpsest,* obair 'idir na glúine' le haghaidh damhsóirí gairmiúla agus damhsóirí níos sine i gcomhair Féile na Bealtaine 2008. Ba phíosa comhoibritheach damhsa 'idir na glúine' é 'Palimpsest' a thug damhsóirí d'aoiseanna éagsúla le chéile.